たった一言で人間関係が劇的に変わる
好かれる人の
言いかえ
中谷彰宏

あなたの
ひとし言が、
凹んでいた私を
笑顔にしてくれた。

中谷彰宏

ひろあき

この本は、３人のために書きました。

①「言葉が、冷たい」と言われた人。

②言葉で、愛されるようになりたい人。

③言葉で、出会いを作りたい人。

01

久しぶりの人に会った時

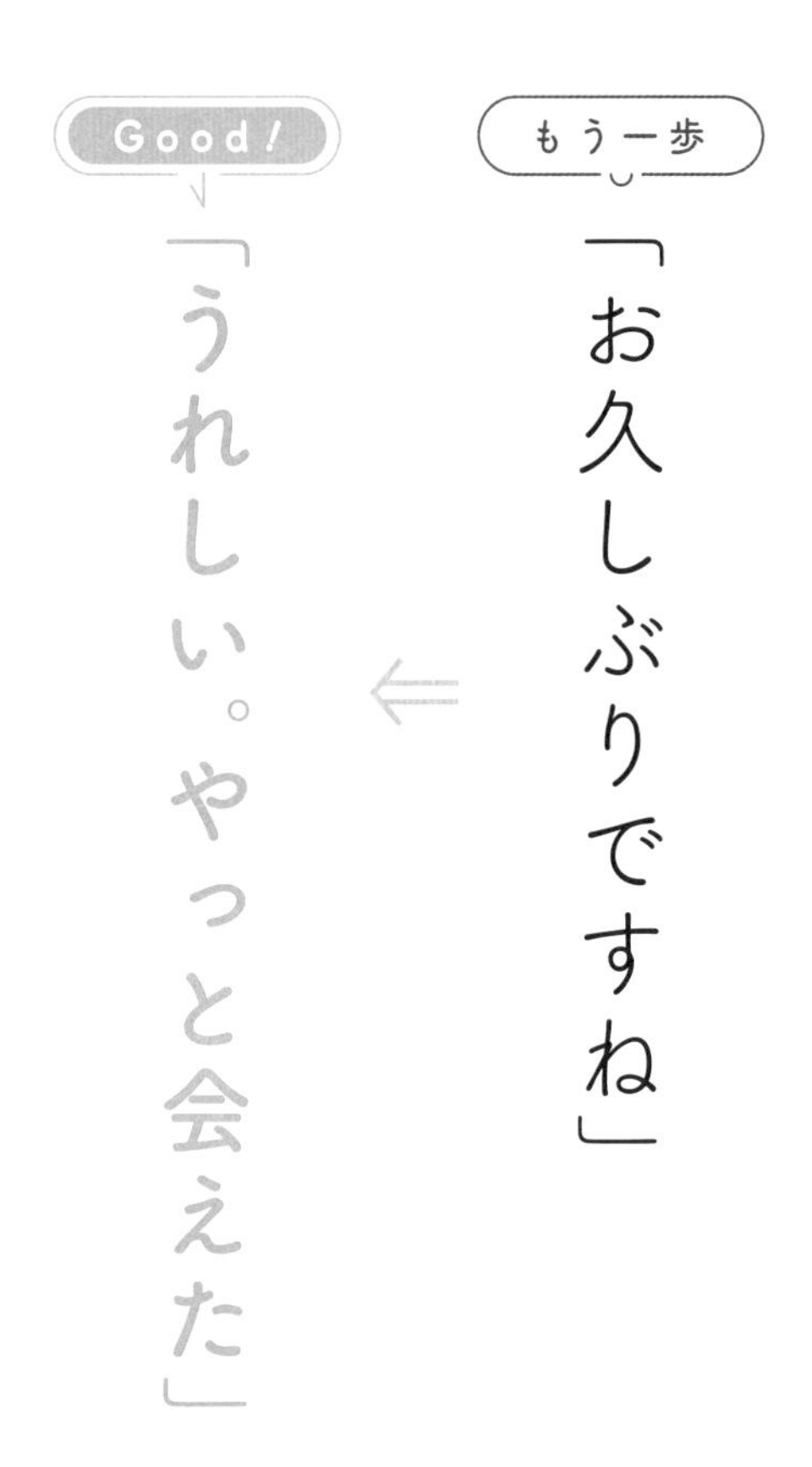

もう一歩
「お久しぶりですね」
Good!
「うれしい。やっと会えた」

「お久しぶりですね」は、引き分けの△の言葉です。
「うれしい。やっと会えた」と言うと、
ただの期間的な長さの物理的説明から感情に変わります。
好かれる言葉は、感情です。
好かれない言葉は、説明です。
説明は、冷たい印象になります。
「うれしい。やっと会えた」は、
初対面の人にも使えます。
リンクアンドモチベーションの小笹芳央（おざさよしひさ）会長にお会いした時、
「いやぁ、中谷さんにやっと会えた。
頑張っていればいいことありますね」と言われました。
感情を言葉にすると、
出会えたことの喜びがきちんと伝わるのです。

好かれる人の言いかえ　もくじ

chapter
2
頼み方

相手のモチベーションを上げる。

chapter

3 断り方

いい関係を継続させる。

chapter 4 お詫び より絆を強くする。

chapter
5
感謝
気持ちが伝わる。

chapter 6

クレーム対応

気持ちが届く。

chapter 7

ダメ出し方

角が立たない。

chapter 8

ほめ方

相手の心を励ます。

chapter 9

聞き方 心を開いてくれる。

contents

もくじ

chapter 10

SNS・メール・オンライン 対面以上に伝わる。

chapter 1

挨拶

すぐに打ち解ける。

02

新入社員に

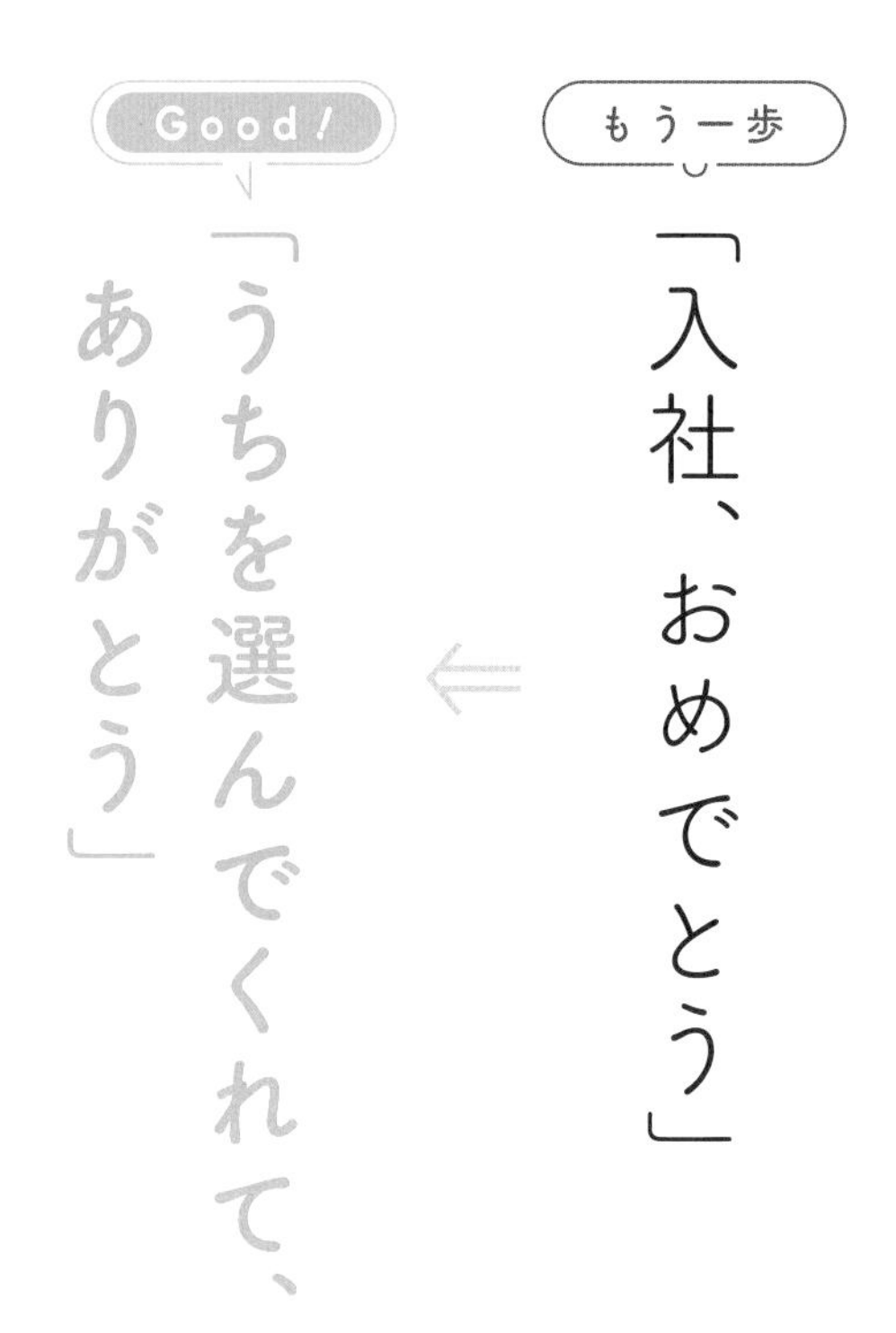

もう一歩
「入社、おめでとう」
Good!
「うちを選んでくれて、ありがとう」

「入社、おめでとう」は△の言葉です。
間違ってはいませんが、好かれる言葉にはなりません。
△の言葉は、勝ち点1で引き分けです。
好かれるためには、勝つ必要があります。
「おめでとう」は、「よく通ったね」という、
上から目線の評価です。
その裏には、「これからだからな」と、
既に説教が入り始めています。
無限に会社がある中で、
この業界、この会社を選んでくれたのです。
偶然のめぐり合わせだとしても、
出会いを感謝することで、
「選んでくれてありがとう」と言えるのです。

03

初対面の人に
「お会いしたかったです」と言われた時

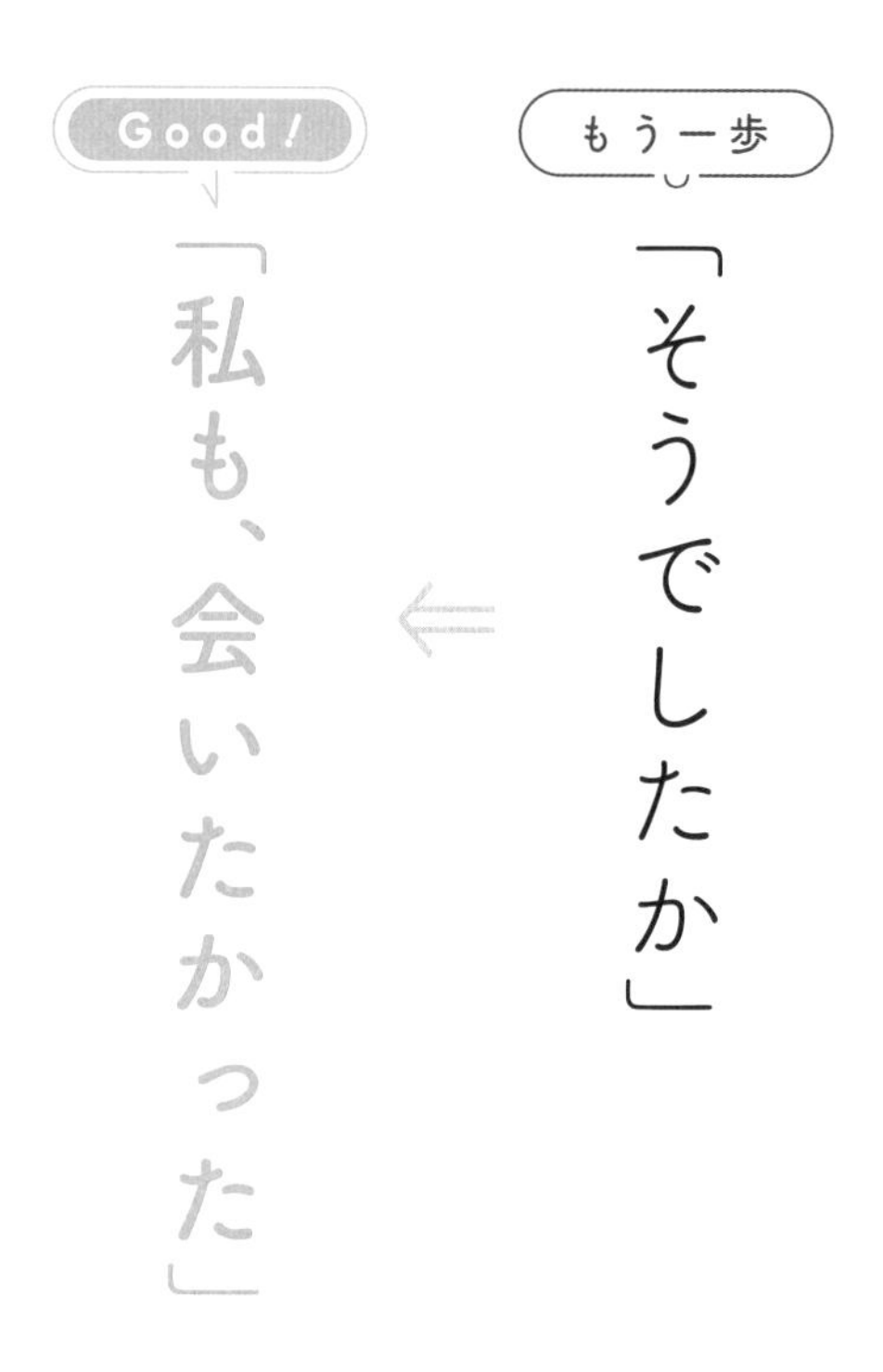

もう一歩
「そうでしたか」
Good!
「私も、会いたかった」

「お会いしたかったです」に対する返事は、
「そうでしたか」しかありません。
感じのいい言いかえに、厳密さは必要ありません。
それより、楽しさ・うれしさを優先します。
料理研究家の土井善晴(どいよしはる)先生のサイン会に来た人が、
「会いたかったです」と言うと、
土井先生は「僕も会いたかった」と言いました。
もちろん相手のことは知らないはずです。
それでも、「運命で出会いが決まっていて、
あなたが来るのを待っていた」と言うことは可能です。
「私のこと、知らないじゃないですか」
と言われることは心配しなくていいです。
会話が苦手な人は、厳密さ・正しさに、
縛られすぎているのです。

04

初対面の人に会った時

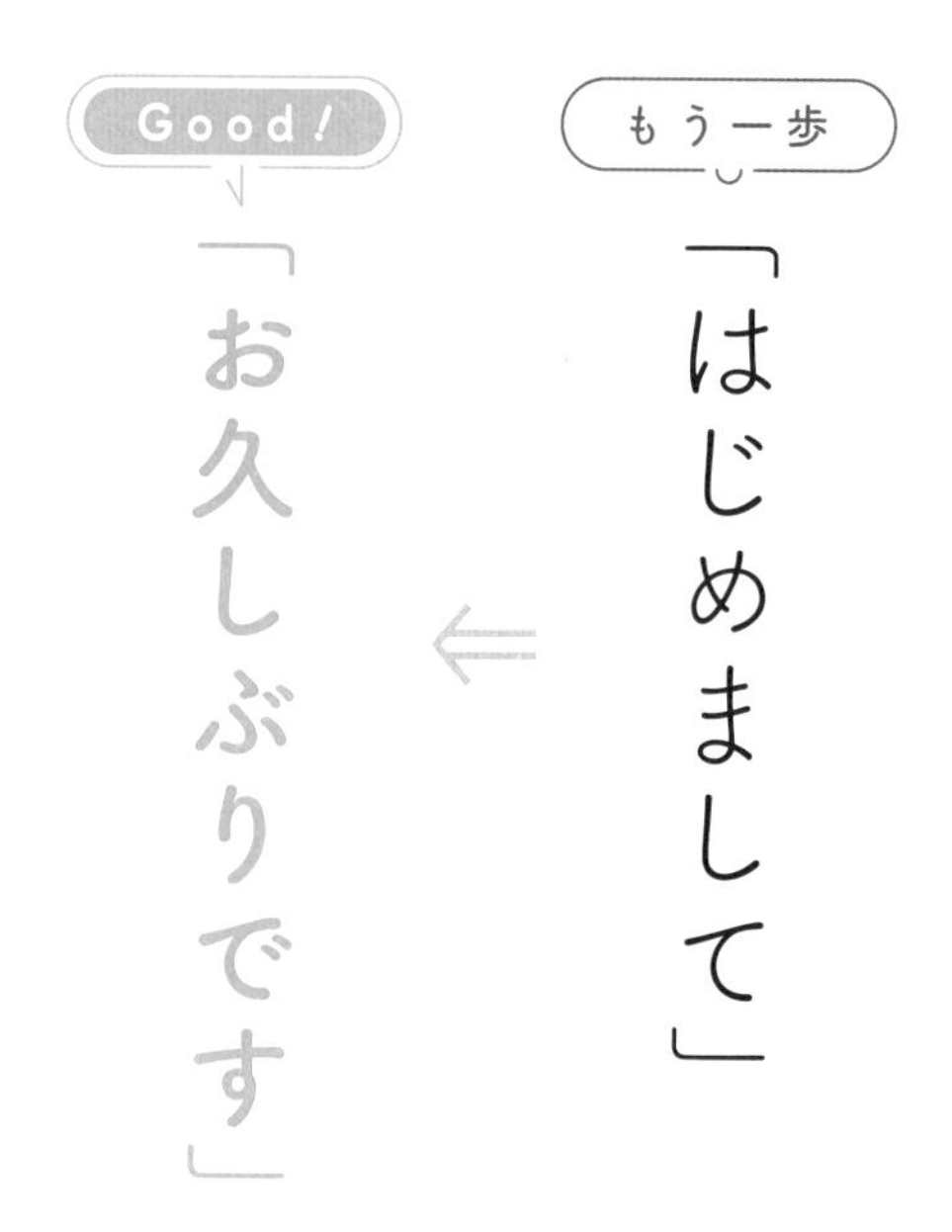

もう一歩
「はじめまして」
Good!
「お久しぶりです」

ある有名な方に時に初めてお会いした時に、
「中谷さん、久しぶり」と言われました。
本当は初対面でしたが、うれしかったです。
前から知ってくれていたということです。
「はじめまして」と言った相手に、
「前にも会っています」
と言われる失敗パターンは多いです。
同じ間違いなら、全員に、
「お久しぶりです」と言う方がいいです。
ファッション業界は、
初対面の人にも「ごぶさた」と挨拶します。
それによって、場の空気を盛り上げていくのです。

05

一緒においしいものを食べた時

気持ちいい会話をするコツは、一体感です。

言葉は、たった1文字で、受ける印象が変わります。

たとえば、パーティーで食事をしました。

「おいしい」と「おいしいね」は、まったく違います。

「おいしい」は、1人の世界で完結しています。

「おいしいね」は、

相手と同じ世界を共有することができます。

会話では、相席ではなく会食にすることです。

相席は、個々人がバラバラにいます。

会食は、まわりの人をハッピーにします。

好かれる会話には一体感があります。

会話が苦手な人は、一体感が苦手です。

「おいしいね」と相手に振って、

共感・共有をすることが大切なのです。

06

花形の仕事をしている人に

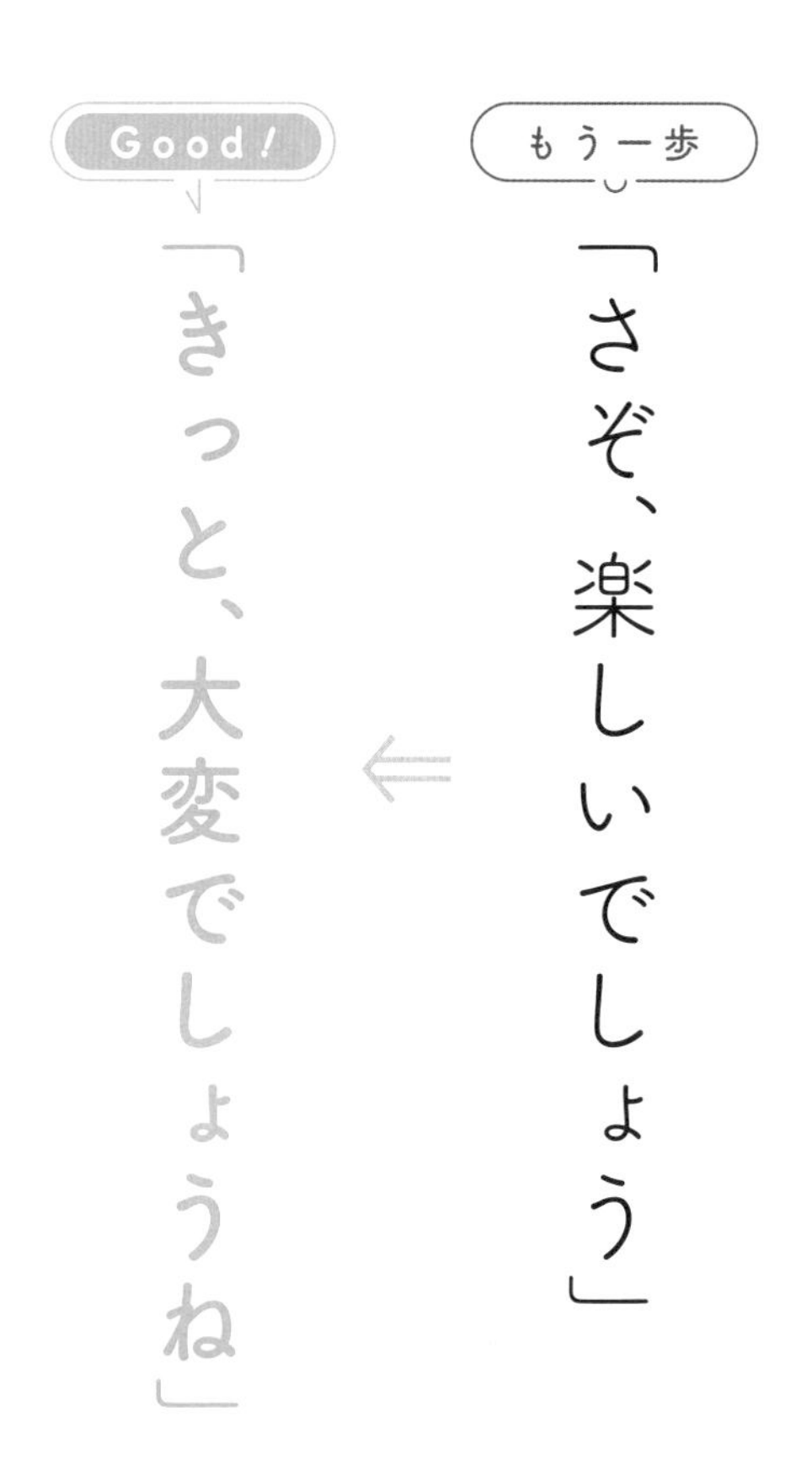

もう一歩
「さぞ、楽しいでしょう」
Good!
「きっと、大変でしょうね」

飛行機に乗ると、ＣＡさんに
「あちこち旅行できて、さぞ楽しいでしょうね」
と話しかける人がいます。
本人は気に入られようと思って、ほめているつもりです。
これは危ないです。
言われた側としては、
やっかまれているイメージになります。
どんな仕事も大変です。
コンシェルジュ・編集者・広告宣伝・ＣＡは、
一見、華々しい職種です。
具体的にわからなくても、
大変さを理解してあげると、
「わかってくれる人がここにいた」と、
好かれる人になるのです。

07

久しぶりの人に会った時

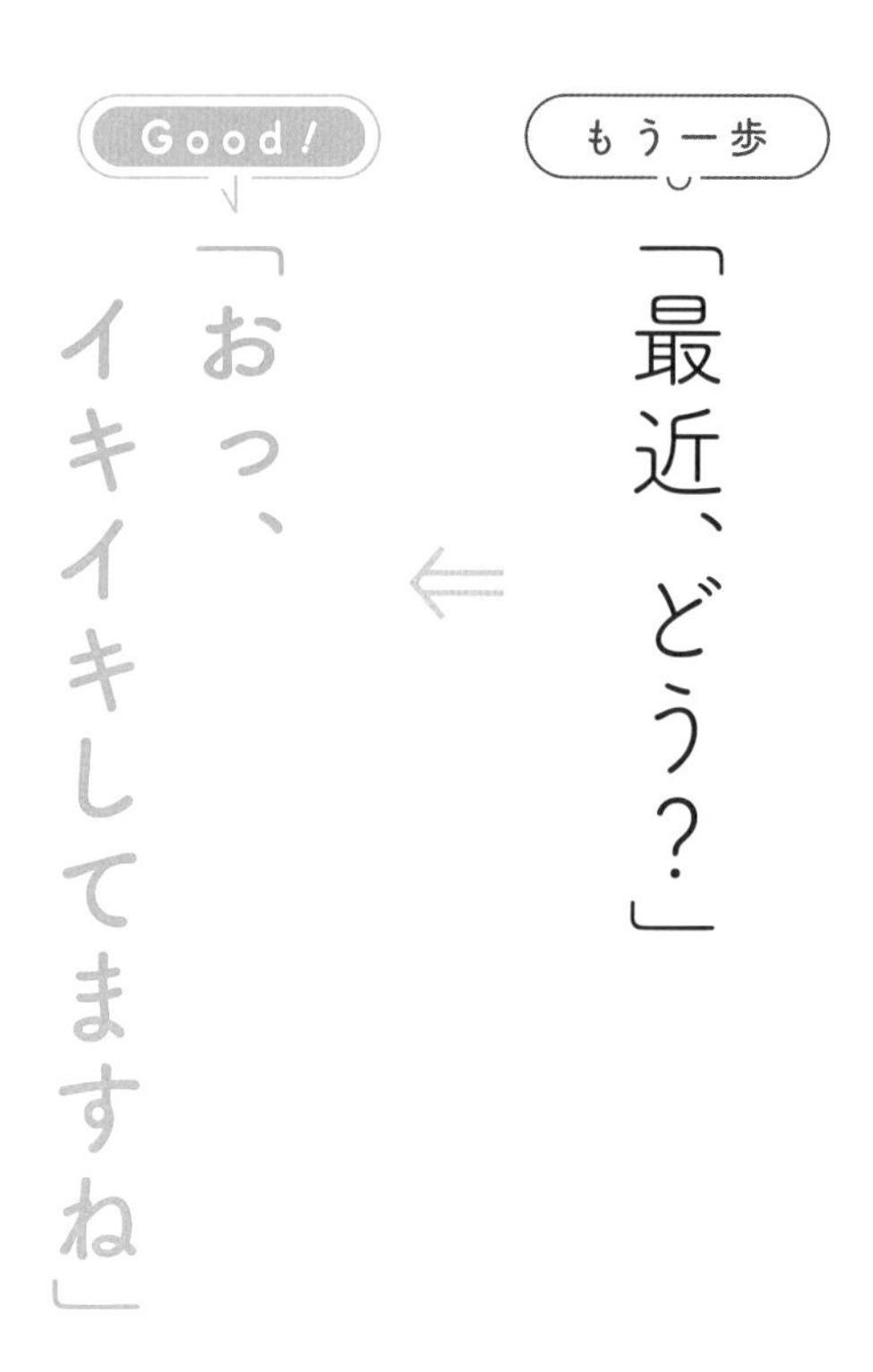

もう一歩
「最近、どう？」
Good!
「おっ、イキイキしてますね」

「最近、どう?」は、普通です。
これは「調子はどう?」と、情報を聞いています。
相手の調子は、会った瞬間の顔色を見ればわかります。
「イキイキしていますね」と言われると、
人間は不思議なもので、
「イキイキしているのかな」という気持ちになります。
私は、ボウリングの試合で元気がなくなった時、
薬局にユンケルを買いに行きました。
すると、薬局の薬剤師さんが「元気そうですね」
と言ってくれました。
そのひと言で、
私は「まだいける」と思いました。
好かれる言葉は、相手を元気にする言葉なのです。

08

お店で初めてかどうかを確認された時

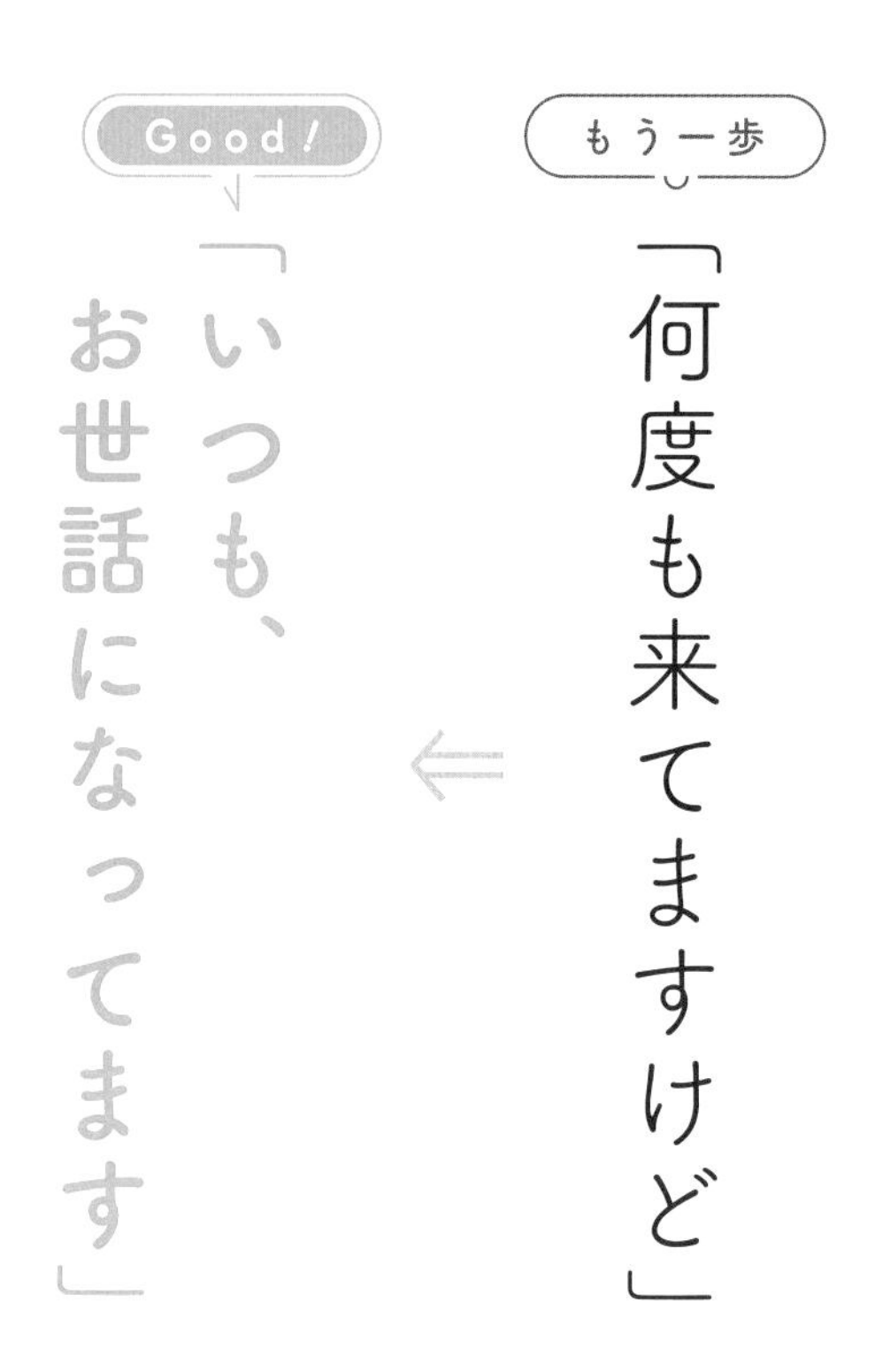

もう一歩
「何度も来てますけど」
Good!
「いつも、お世話になってます」

「こちらのご利用は初めてですか」と聞くのは、
マニュアルです。
初めてでない人には説明しないと決まっているからです。
「初めてですけど」と言うと、
「失礼しました」と相手に謝らせてしまいます。
それによって、会話のトーンが下へ行きます。
「何度も来てますけど」は、最後の「けど」で、
「覚えていないのか」というムッとした印象になります。
一番寂しいのは、覚えられていないことです。
残念な言い方に対しても、ムッとしないことです。
マニュアル的な言葉を言われた時は、
「いつもお世話になっています」
と、明るく切り返えして会話の空気を変えればいいのです。

09

ほめられた時

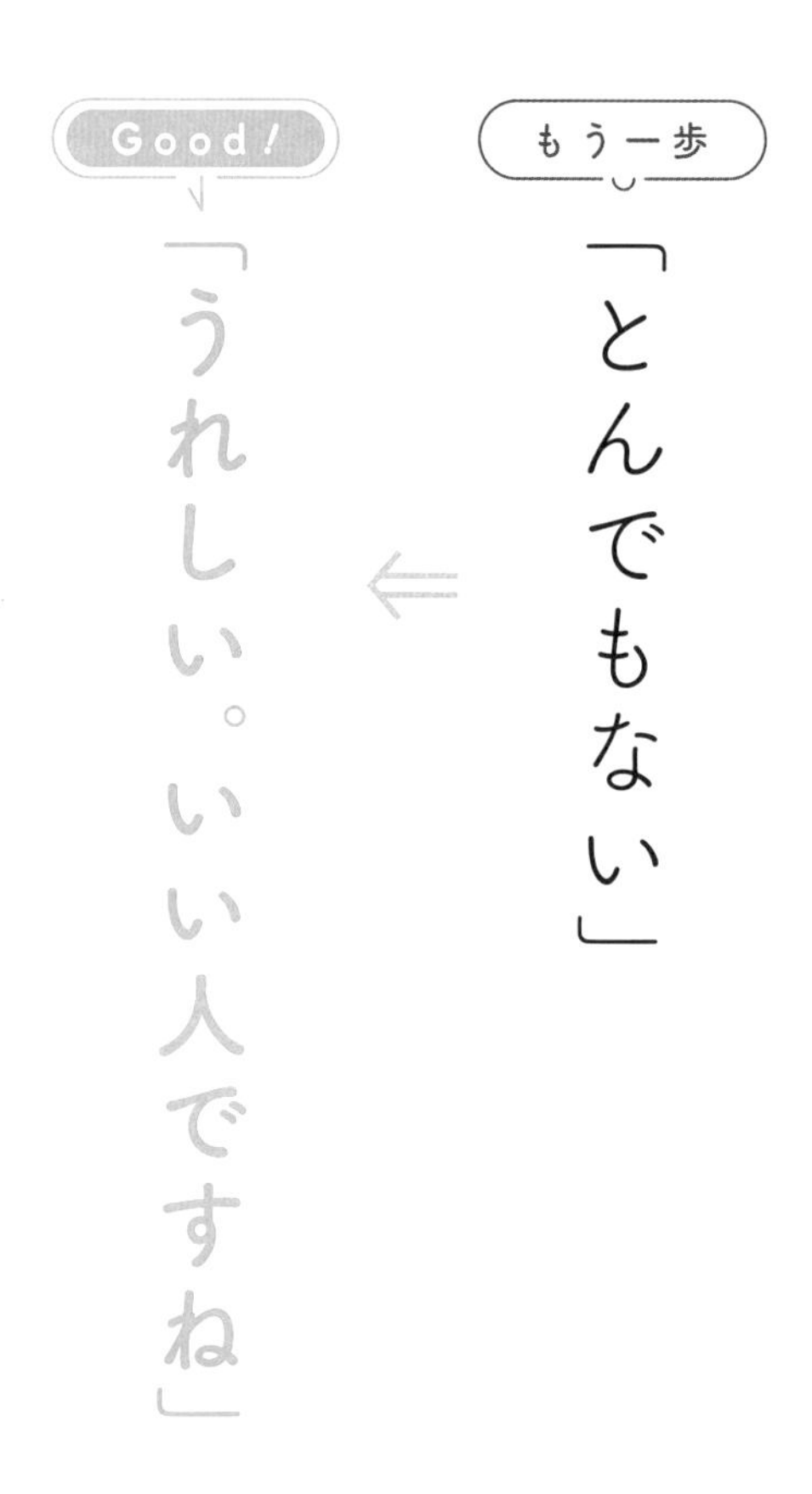

もう一歩
「とんでもない」
Good!
「うれしい。いい人ですね」

まじめな人ほど、ほめられベタです。
ほめられると、「とんでもない」「いえいえ」と否定します。
ほめるのは、
相手に対する思いやり・サービス・おもてなしです。
「とんでもない」と言われると、
プレゼントを突き返されたような状況になります。
プレゼントをもらったら、ありがたくいただいて、何かを返します。
これが言葉のプレゼントです。
ある時、私のファンの集いに母親が来ました。
「お母さんですか？　若い」と言われると、
母親は「うれしい。いや、いい人やわ」と言いました。
「いい人ですね」は、相手をほめ返す言葉なのです。

10

パーティーで
よそのテーブルから挨拶に来た時

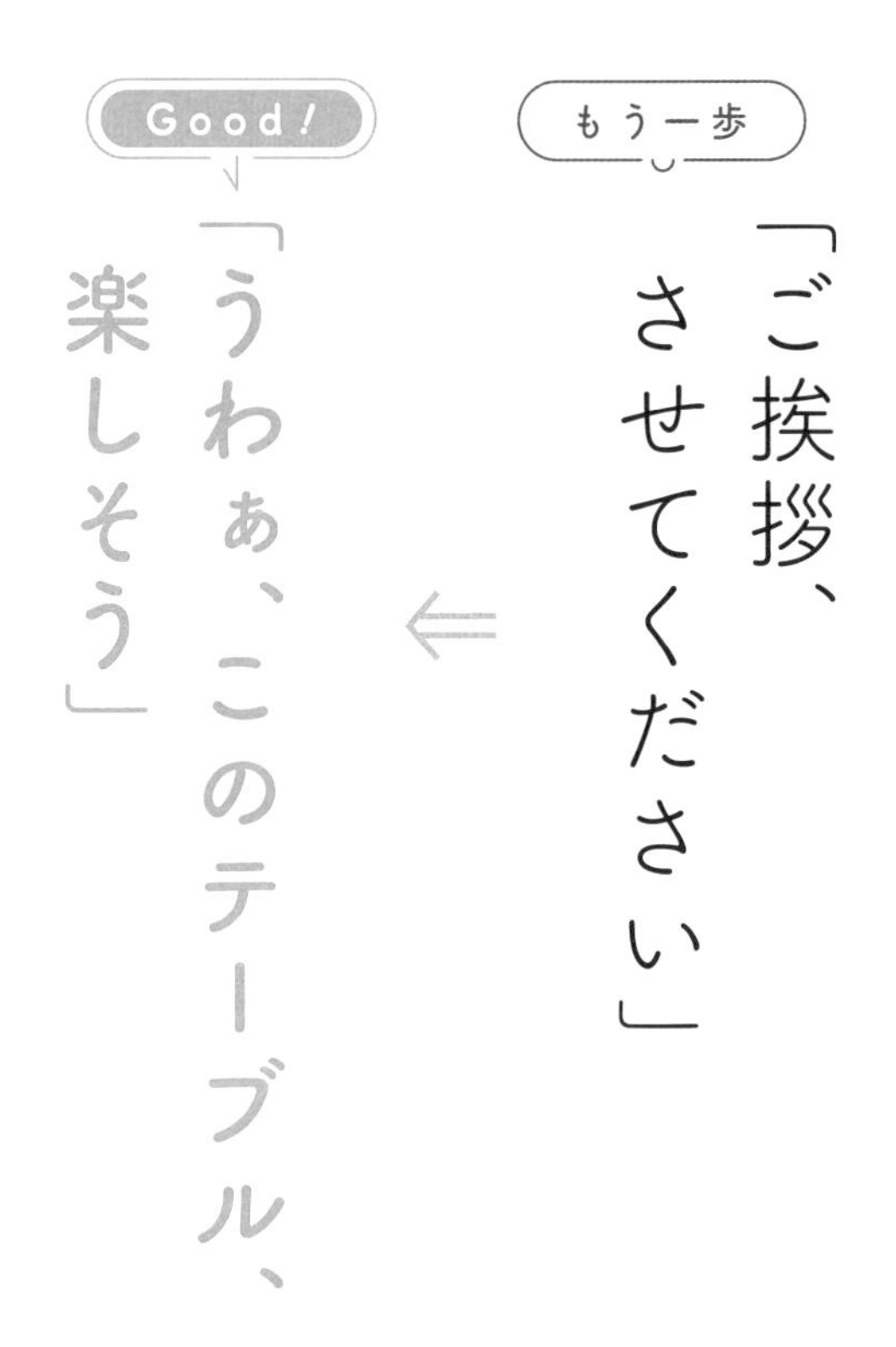

もう一歩
「ご挨拶、させてください」
Good!
「うわぁ、このテーブル、楽しそう」

着席パーティーでは、
自分が座るテーブルの席が決まっています。
よそのテーブルに行った時に、
名刺を持って「ご挨拶、させてください」
と言うのは普通です。
その時、「うわぁ、このテーブル、めっちゃ楽しそう。
こっちに来たい」と言います。
そう言われた人は、「そうなのかな」と嬉しくなります。
「こっちに来たい」という言葉は、
相手も含めてテーブル全体をほめています。
相手に対しての声かけ次第で、
そのまわりにいる人たちを全員ほめて、
ハッピーにすることができるのです。

11

再会した人に

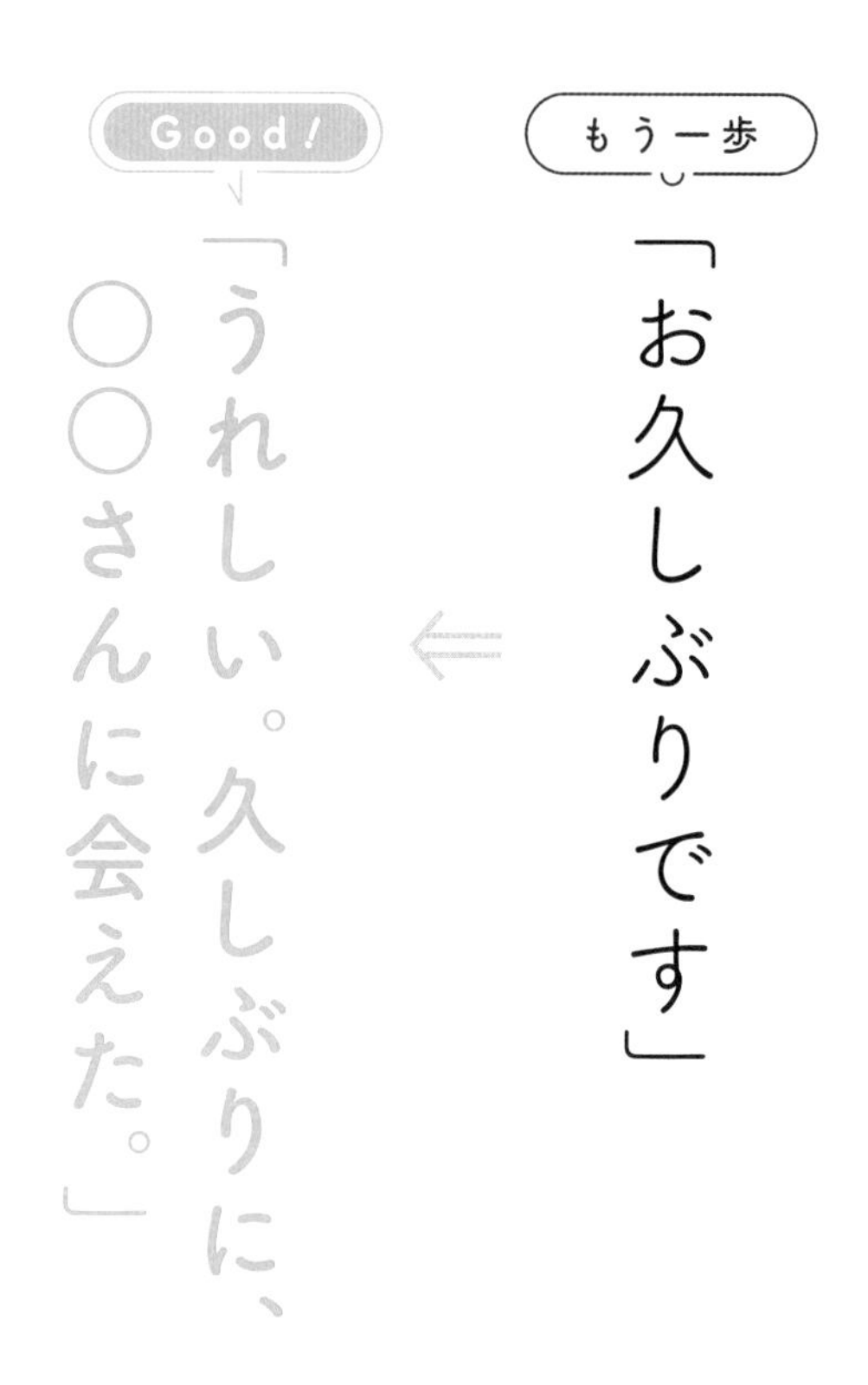

もう一歩
「お久しぶりです」
Good!
「うれしい。久しぶりに、〇〇さんに会えた。」

再会をした時、つい「久しぶりです」と言いがちです。
これは状況説明です。
うれしいのは、感情の自己開示です。
「久しぶりです。うれしい」と、
「うれしい。久しぶりです」なら、
「うれしい」が最初に来た方が相手に伝わります。
「○○さんに会えて、うれしい」は、
社交辞令に感じます。
冷静な時は、きちんとした文章になります。
感きわまると、
「うれしい。久しぶりに○○さんに会えた」と、
文章が倒置法になります。
一番うれしいのは、
自分の名前が、相手の口から発せられることなのです。

12

「いつもオシャレですね」と言われた時

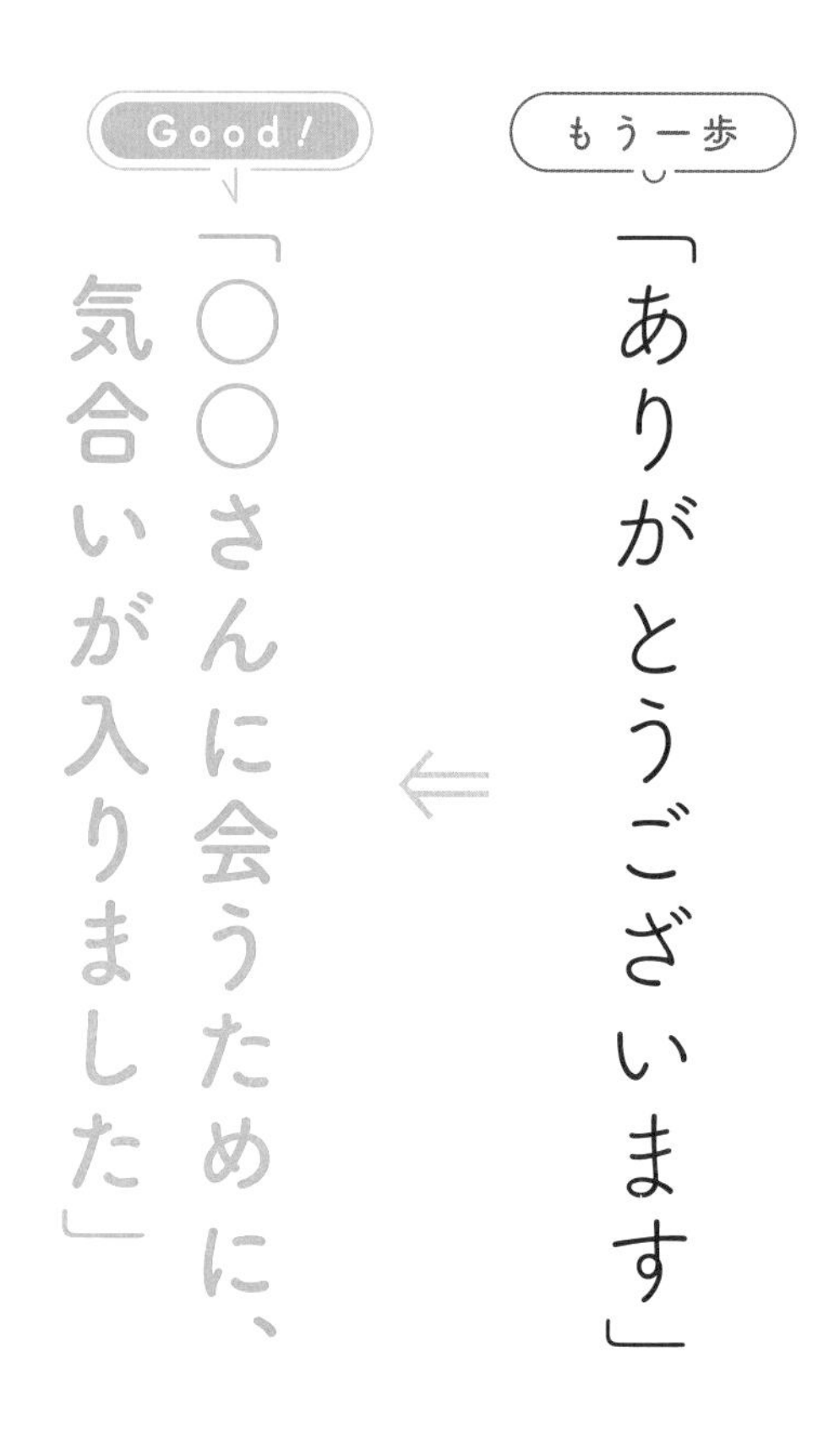

もう一歩
「ありがとうございます」
Good!
「○○さんに会うために、気合いが入りました」

「ありがとうございます」は、
すべての会話が終了する言葉です。
一緒にスポーツをしている女性に、
「今日、髪の毛きれいですね」と言うと、
「中谷さんに会うから、
朝から美容院に行ってきちゃった」と言われました。
「中谷さんに会うから」と、
ひと言入っているかどうかで、
印象がまったく違います。
たとえ後づけでも、そう言われたらうれしいのです。
会話で一番うれしいのは、
ほかの人にはしないけれども、
自分にはしてくれるという特別感が出ることなのです。

13

パーティーで
「席はどちらですか」と聞かれた時

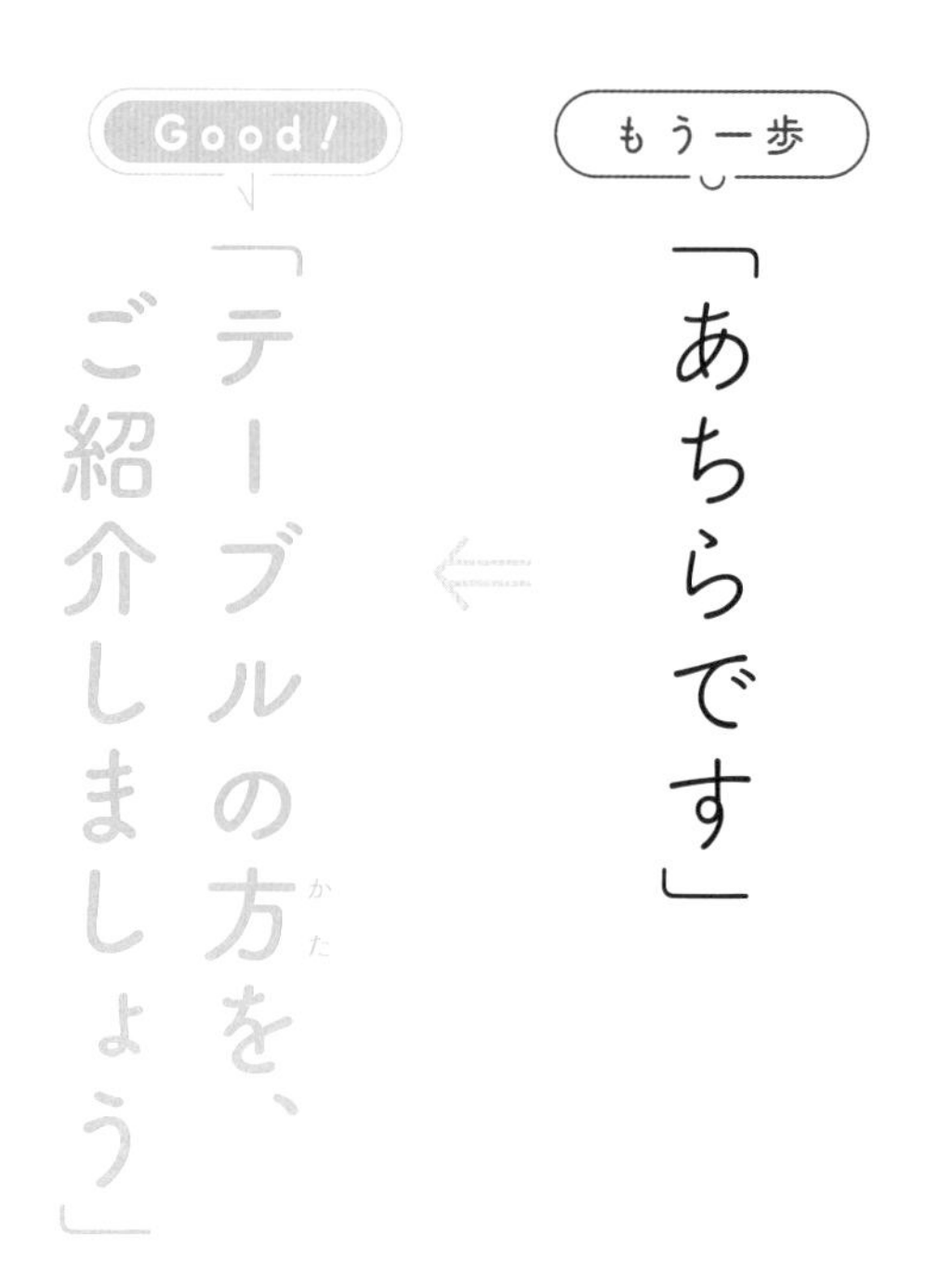

もう一歩
「あちらです」
Good!
「テーブルの方を、ご紹介しましょう」

席を聞かれて「あちらです」と答えるのは、間違っていません。

そこで一歩踏み込んで、「言葉のシュート」を打つのです。

「向こうに座っているので、テーブルの方をご紹介しましょう」と、相手を一緒に連れて行きます。

すると、「この人に声をかけてよかった。紹介してもらえる。うれしい」という展開になり、圧倒的にチャンスが広がります。

同じテーブルにいる人との会話のキッカケもできます。

パーティーに行くと、もともと知っている人は、1人いるかいないかです。

紹介をしてあげることで、知り合いがもっと増えるのです。

14

寒い日に
「寒いですね」と言われた時

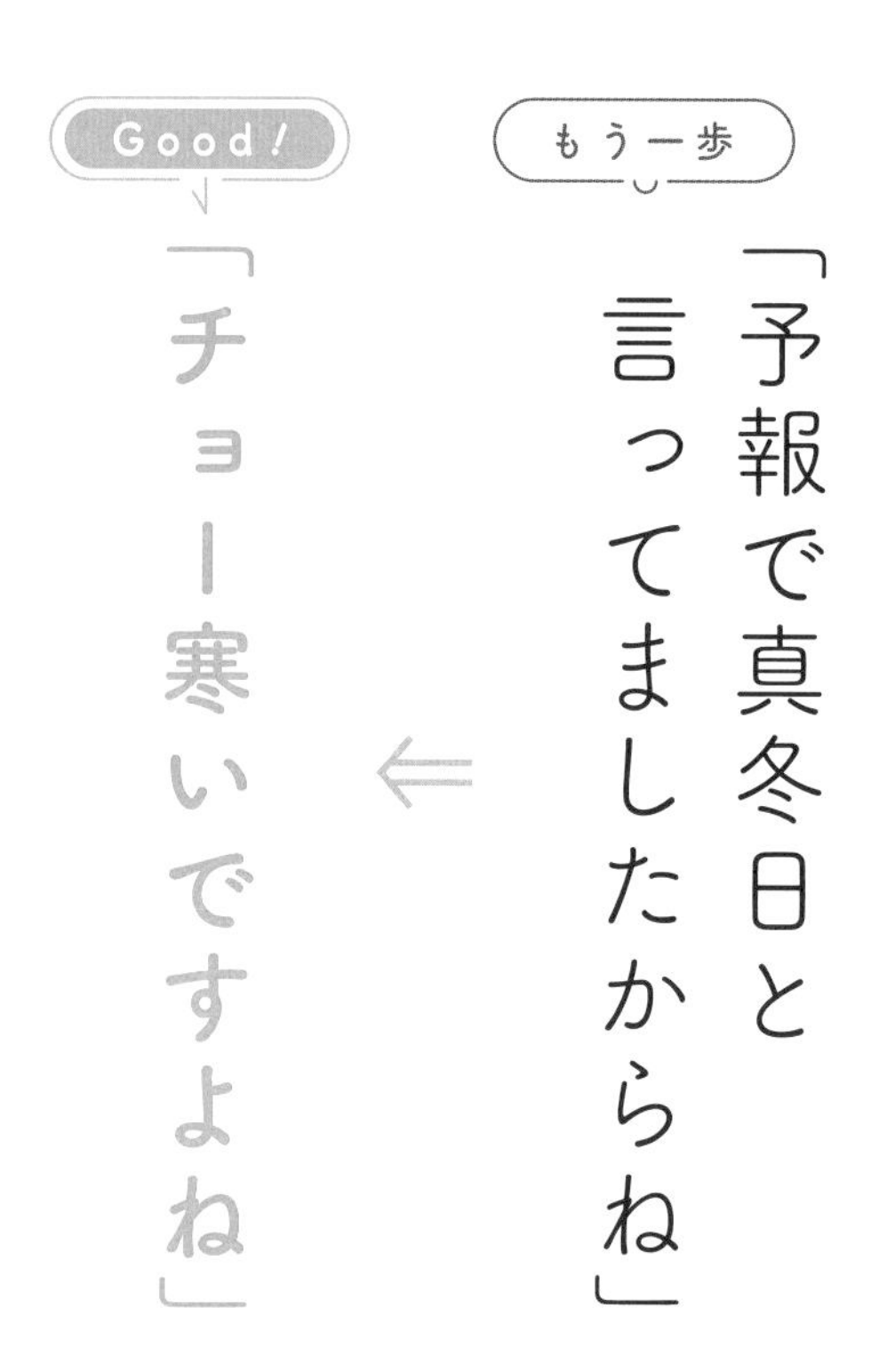

もう一歩
「予報で真冬日と言ってましたからね」
⇐
Good!
「チョー寒いですよね」

天候の会話には、否定がありません。
天候の会話を振るのは、
相手と話したいという意思表示です。
「天候より中身のある話をして」と言うのは、
話しかけてくれたおもてなしに対するマナー違反です。
相手は寒さを共有したいのです。
共感する時に、反復はＮＧです。
同じ言葉の反復はテンションが下がります。
自分の気持ちが入っていないからです。
理屈ではなく、ハーモニーをつくることです。
転調して、半音上げて「チョー寒いですね」と返すと、
相手も話しかけてよかったと思うのです。

chapter 2

頼み方

相手のモチベーションを上げる。

15

試食して欲しい時

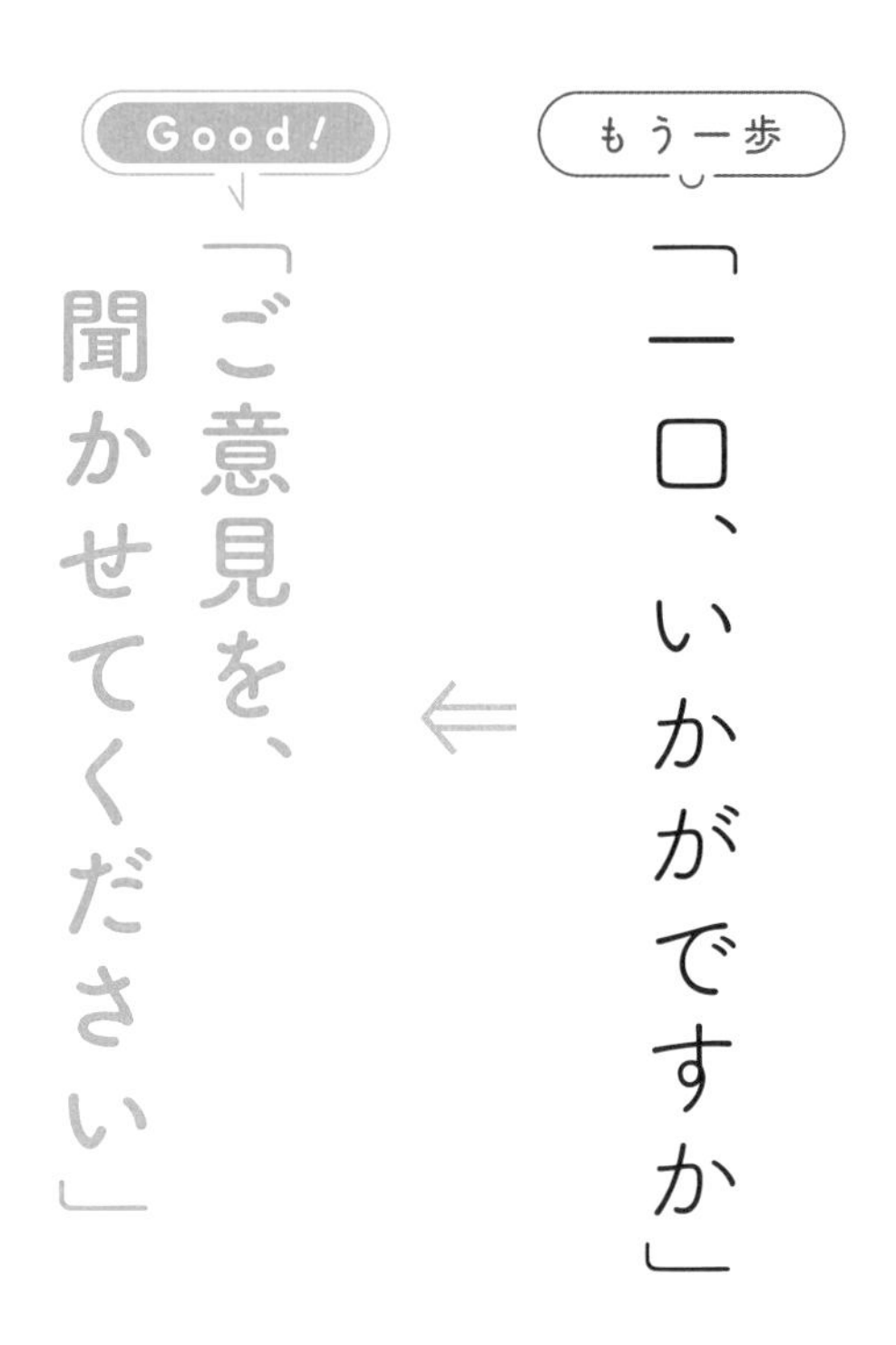

もう一歩
「一口、いかがですか」
Good!
「ご意見を、聞かせてください」

スーパーの試食は、まず1人がしてくれたら、
後の人が続いてしてくれます。

難しいのが、1人目です。

特に、男性は試食をとりにくいです。

「試食をして買わなかったらケチだと思われて、
自分の沽券にかかわる」という心配があるのです。

試食の達人は、

「この味について、ご意見を伺っているんですが」

と勧めます。

「ご飯に合うんじゃない？」

「あ、それは気づきませんでした」

となると、試食した人は貢献感があります。

会話は、自分に何かの役割があると思った瞬間に、
一体感が強くなります。

16

やっと腰を上げた時

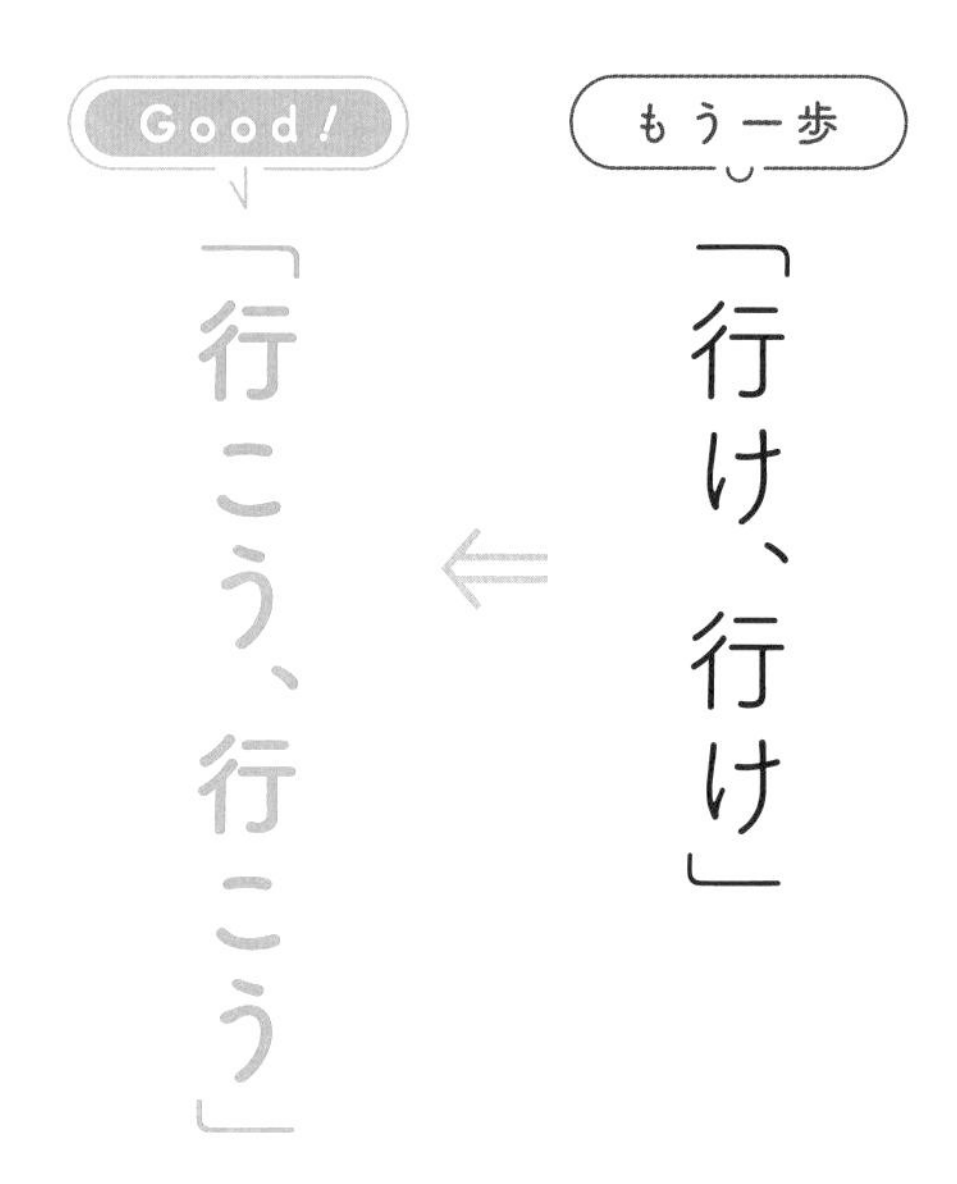

もう一歩
「行け、行け」
Good!
「行こう、行こう」

腰の重い部下が仕事をやる気になってくれた時、
「よし、その調子だ。行け、行け」と言うと、
自分と相手が別物になります。
私は集中豪雨の影響で、
新幹線「のぞみ」に20時間閉じ込められました。
20時間後に動き始めた時、私の心の中での叫びは、
「行こう、行こう」でした。
「行け、行け」と思うと、
他者である新幹線に怒りが込み上げてきます。
それよりは、
「よっしゃー、のぞみもつらかったよね。
行こう、行こう」という気持ちを持つことです。
言葉1つで、相手と一体になることもできれば、
相手と壁をつくることもできるのです。

17

アイデアを出してもらう時

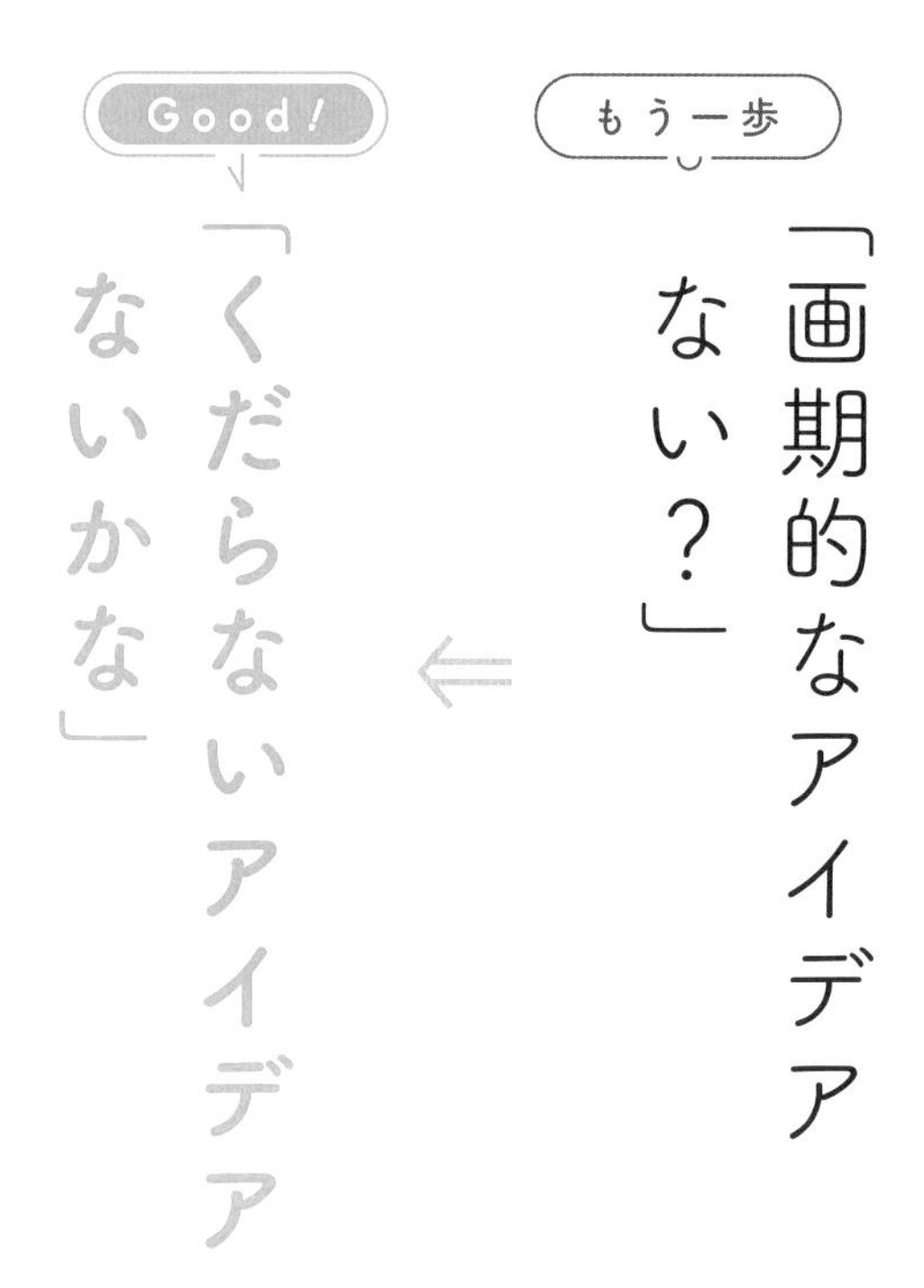

もう一歩
「画期的なアイデアない？」
Good!
「くだらないアイデアないかな」

アイデア会議は、提案を気軽に出せることが大切です。
一人が出したアイデアを、
みんなで画期的なアイデアにしたり、
盛り上げていけばいいのです。
一流のアイデアマンほど、
最初に「アハハ」と笑えるようなネタを出します。
そうすると、みんなが出しやすくなるのです。
私は、質疑応答をする時、
「今の質問は、きちんとしすぎたから、
もっとくだらない質問をお願いします」
と言います。

モチベーションを上げることは、
みんなをリラックスさせて、巻き込んでいくことなのです。

18

初対面の人を誘う時

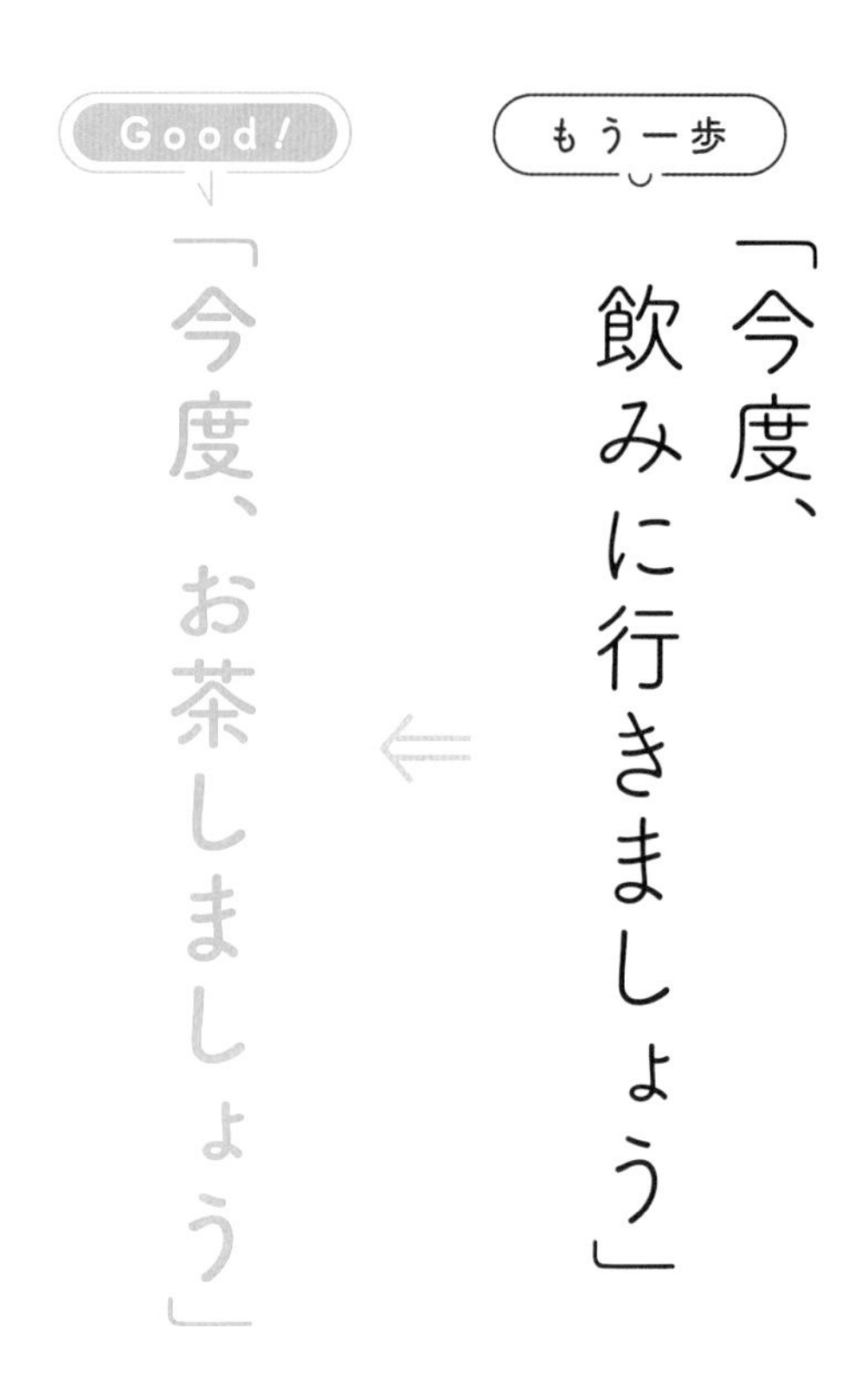

初対面の人に、「今度、飲みに行きましょう」と言われると、特に女性はひきます。

誘い方のうまい人は、「お茶しましょう」と、軽く言います。

女性の場合は、「お茶」という言葉に、感じがよければごはんもいいし、安心できれば飲みに行ってもいい、という感覚が含まれています。

拡大解釈が途中で起こることがあるのです。

最初から「飲みに行きましょう」と言うと、チャンスが消えていってしまうのです。

19

食事に誘う時

もう一歩

「何が食べたいですか」

⇐

Good!

「おいしそうなパスタのお店ができたので、行きませんか」

「何か食べたいものはありますか」
と漠然と振られると、何も浮かびません。
「和洋中なら何?」と聞かれても難しいです。
ハンバーグもラーメンも「和」です。
「和」の範囲は広いです。
「カルボナーラのおいしいお店があるから行かない?」と言われると、
カルボナーラを食べている自分が浮かんで、
「あ、行きたい」という気持ちになります。
1点に絞ることが大切です。
「カルボナーラはお昼に食べたので、
ナポリタンでもいいですか」と言うこともできます。

キッカケは、
具体的な1個から生まれるのです。

20

おいしいお店を紹介する時

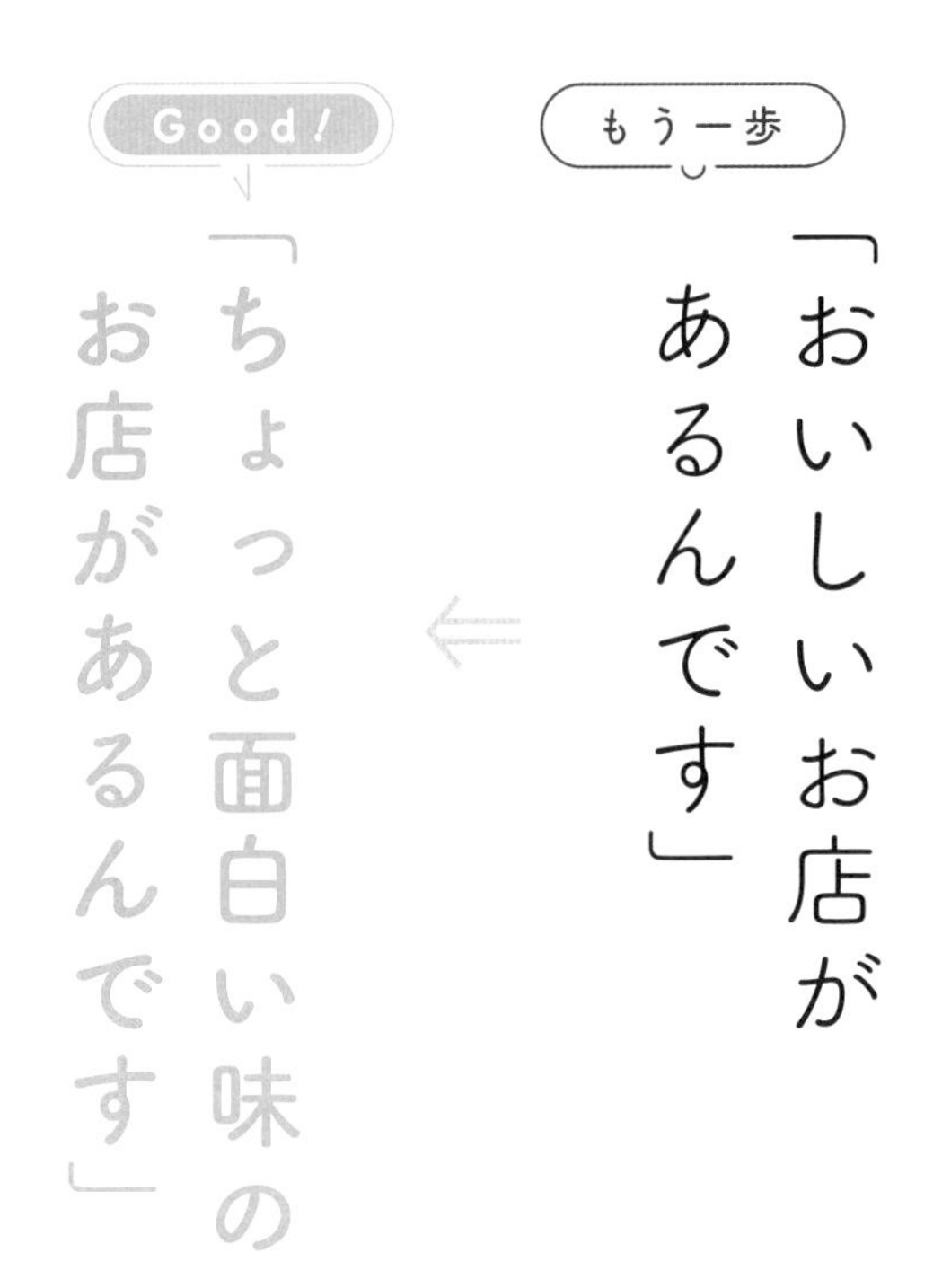

もう一歩
「おいしいお店があるんです」
Good!
「ちょっと面白い味のお店があるんです」

「おいしいお店と聞いたけど、普通かな」
と感想を言われることがあります。
「おいしい」という言葉は、ハードルを上げています。
よかれと思って「めっちゃおいしいから」と言うと、
紹介される側にとっては営業妨害になります。
好かれる会話ができる人は、
「ちょっと面白い味のお店があるんですよ」
と言います。
何がおいしいかは、人それぞれの好みで違います。
「面白いお店」と聞いている人は、
食べて普通の味なら「ちゃんとしてるじゃん」と、
評価が上がります。
これは、誘った側も、誘われた側も、
お店の人もうれしいのです。

21

チームに話す時

リーダーに「君たちは」と言われると、
「え、リーダーは入っていないの？」と思います。
危機を乗り越えなければならない時も、
「僕たち、気が緩んでる」と言われた方が嬉しいです。
「君たちは、なんとかしなくちゃいけない」では、
モチベーションがドンと下がります。
チームワークや一体感があることで、
モチベーションが湧いてきます。
「君たちは」と言うと、
「責任をこっちに押しつけてくるぞ。
この人にはついていけないな」と思われます。
見くだされて、うれしい人はいません。
一体感があると、
一緒に考えようという気持ちになるのです。

22

美容院で「どうします」と聞かれた時

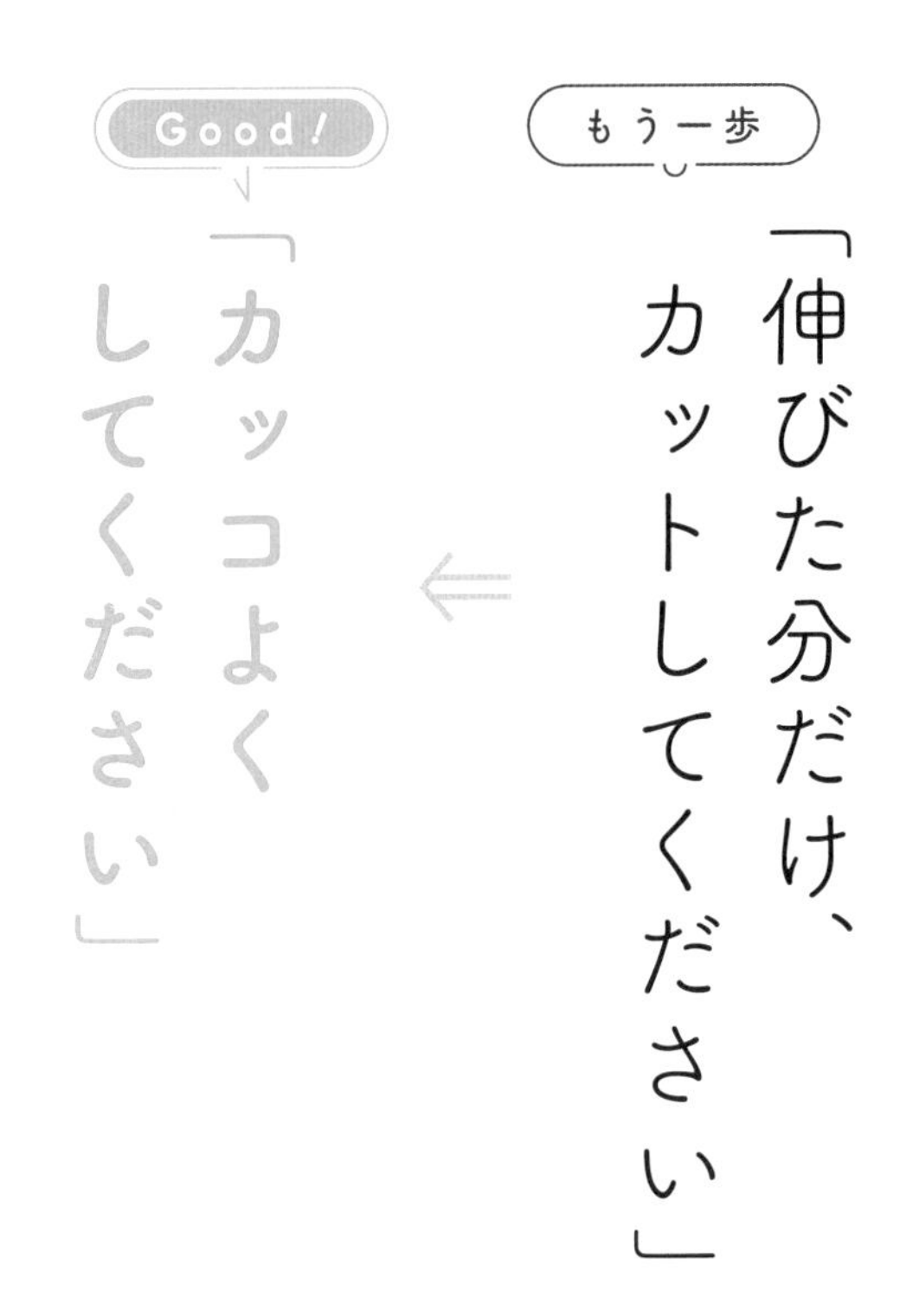

もう一歩
「伸びた分だけ、カットしてください」
Good!
「カッコよくしてください」

美容院に行って、
「1カ月ぶりなので、
伸びた分だけカットしてください」
と言うのは、つまらない会話です。
美容師さんはクリエーターです。
「ブラッド・ピットにしてください」
「北川景子さんみたいにしてください」
と言われると、美容師さんは、
「よし、やってみよう」という気持ちが湧きます。
髪の毛をすいてエアリーにしたり、
アシンメトリーにする場合もあります。
切る長さを決めるのは美容師さんです。
美容師さんを信頼していることは、
「カッコよくなりたい」で伝わるのです。

23

部下を励ます時

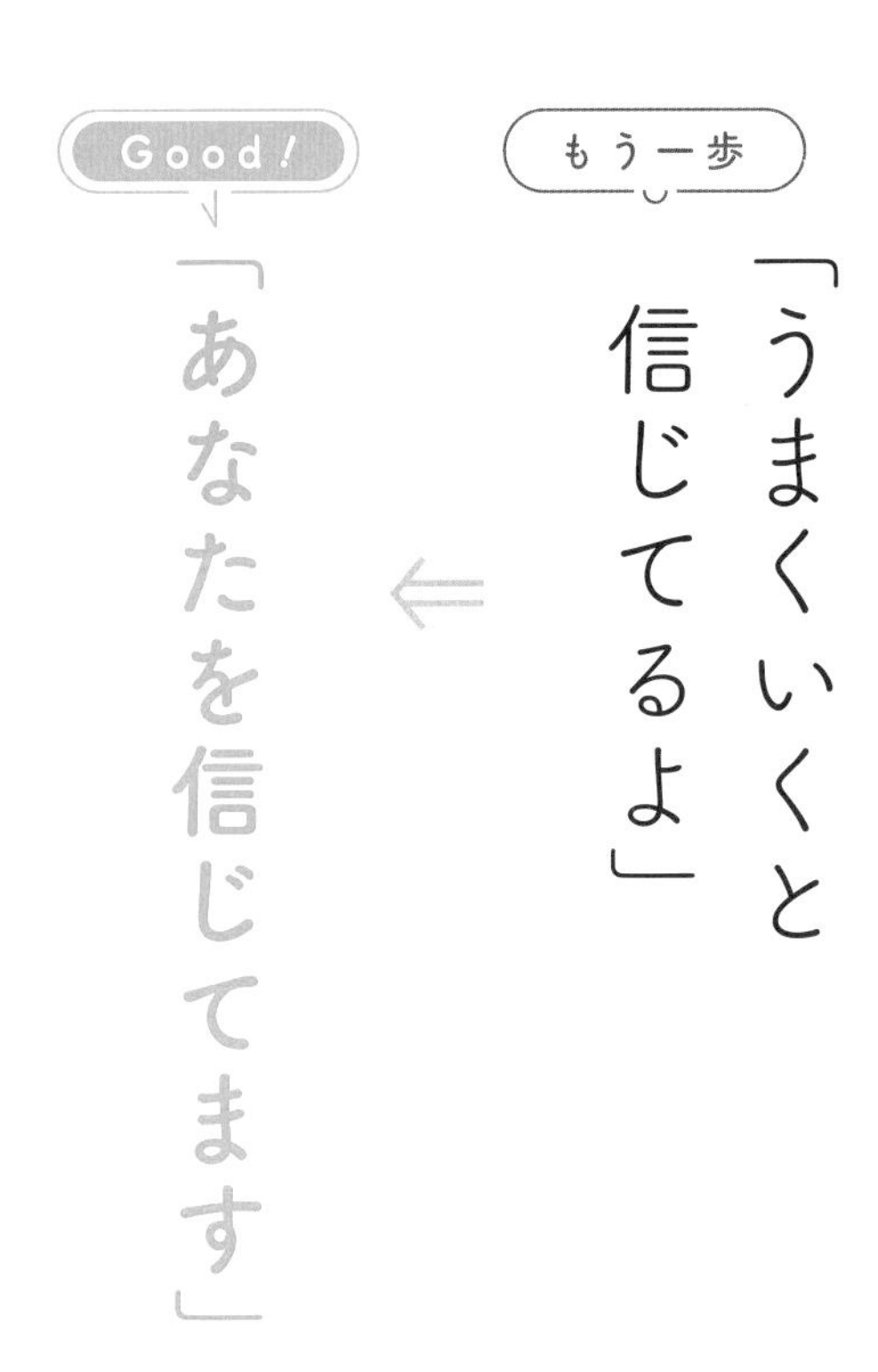

もう一歩
「うまくいくと信じてるよ」
Good!
「あなたを信じてます」

「うまくいくと信じてるよ」と言う人は、
相手を信じていません。
その裏に、「うまくいかなかったら責任とってね」
という意味が含まれます。
「モノや成果」を信じるのか、
「その人間自身」を信じるのかは、言葉でわかります。
信じている人は、
したことがうまくいかなくても、また信じます。
存在そのものを信じているからです。
神様を信じる人は、
「神様がいいことをしてくれたら信じるけれども、
イヤなことをされたら信じないからね」
とは考えないのです。

chapter 3

断り方

いい関係を継続させる。

24

自分だけでは決められない時

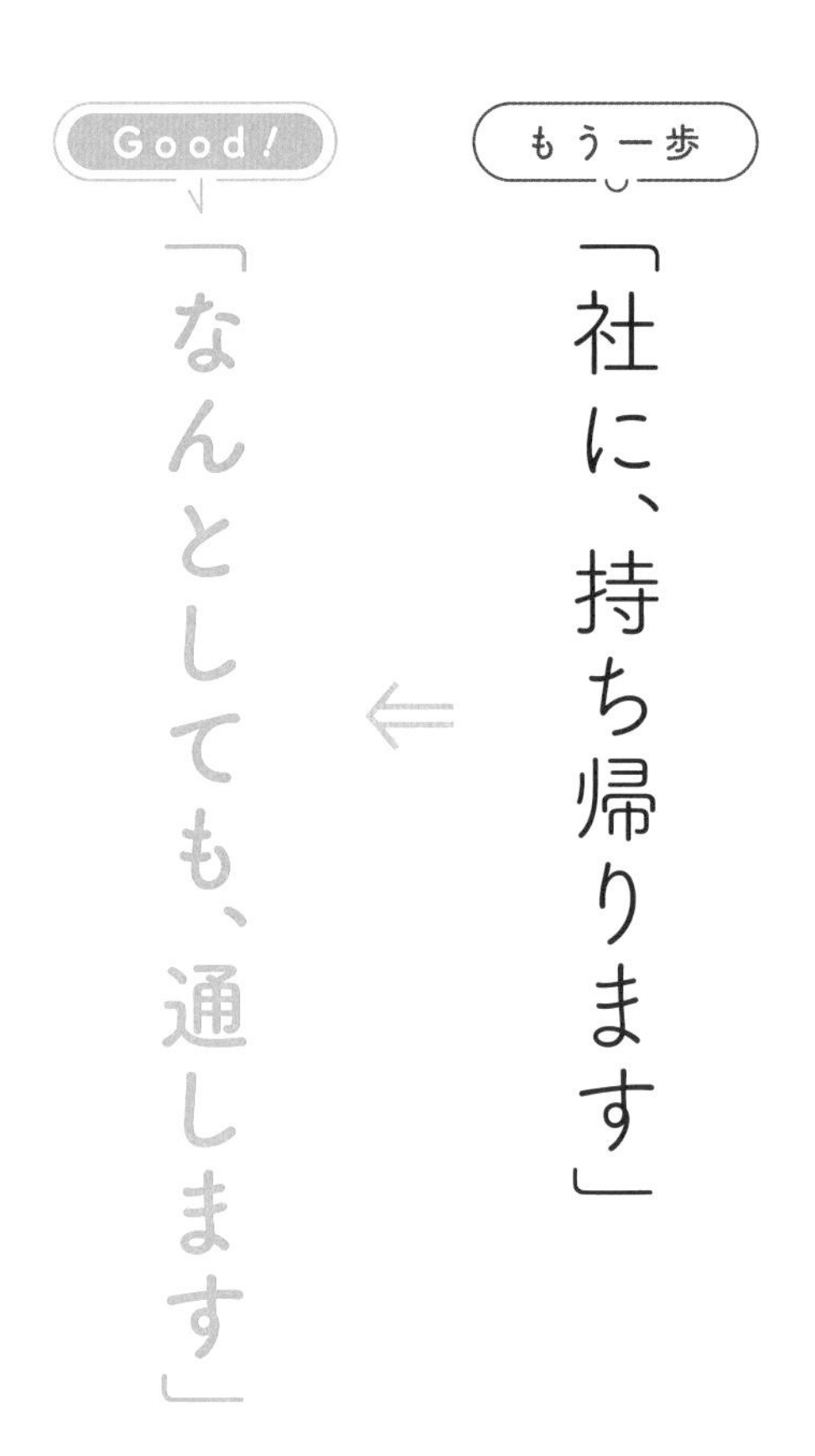

もう一歩
「社に、持ち帰ります」
Good!
「なんとしても、通します」

編集者と企画の打ち合わせをして、
「社に持ち帰ります」「社内で、もんでみます」
と言われると、ちょっとせつないです。
編集者自身で決められないという意味では、
間違っていません。
最終は社長決裁が必要です。
ただ、チームとして、
「君はどうなの？」という気持ちがあります。
「なんとしても通します」と持ち帰った後に、
「通せなかったんです」と言われても、
通そうとしてくれた気持ちがうれしいです。
「じゃ、別の企画を考えよう」と思います。
企画より、自分自身を選んでもらいたいのです。

25

部下が「辞める」と言い出した時

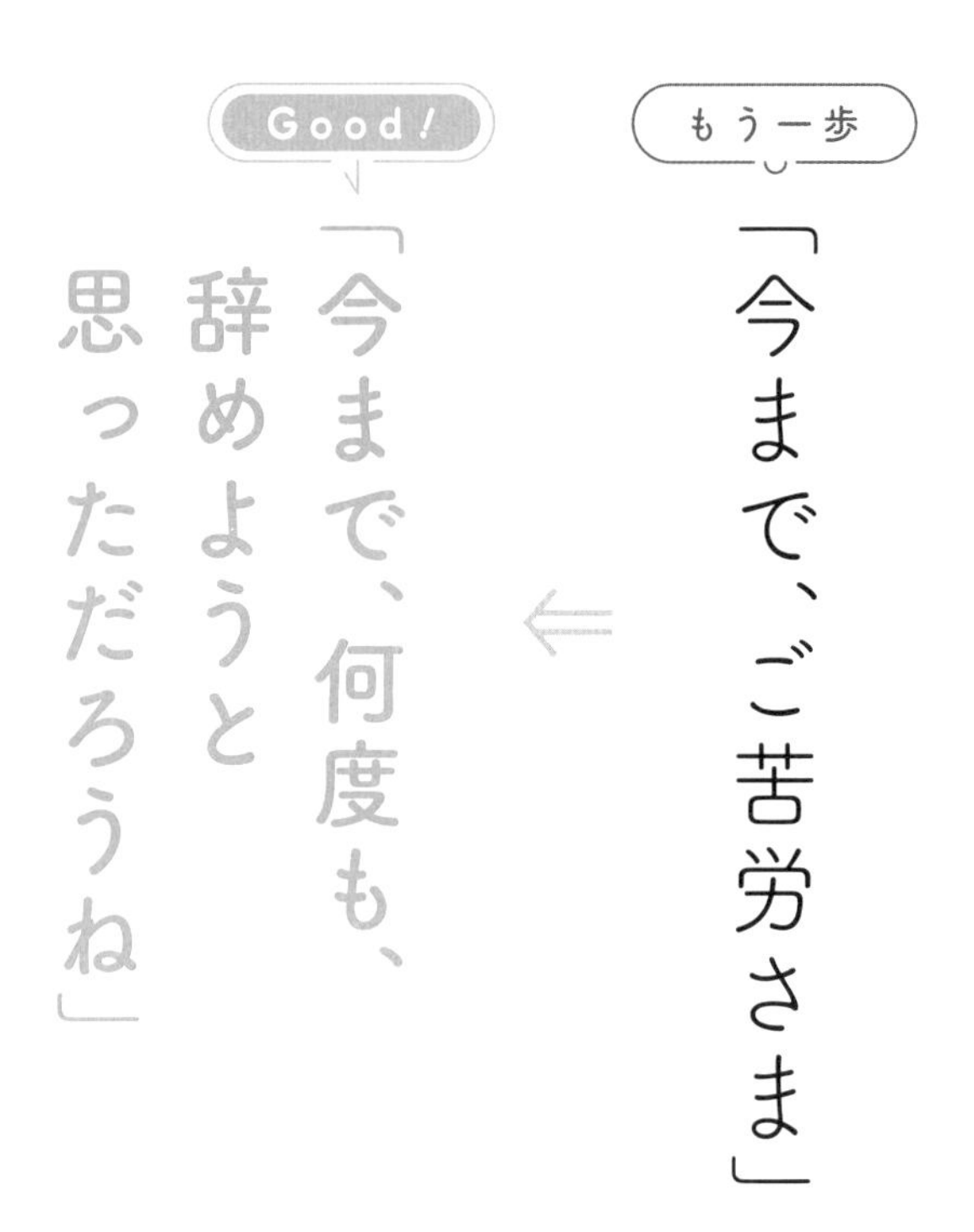

もう一歩
「今まで、ご苦労さま」
Good!
「今まで、何度も、辞めようと思っただろうね」

部下が会社を辞めようとする時、
上司がなんと言うか、ほかのスタッフが必ず見ています。
私が博報堂を辞める時、送別会で上司から、
「中谷君は今まで何度も辞めたかったろう。
よく今まで残ってくれた」と言われました。
この時、上司を尊敬しました。
それを聞いた会社に残る人間も、
「わかってくれている」と思います。
「えっ、なんで、いきなり」と怒る上司もいます。
部下から出ていたサインを丸無視していただけです。
「なんで辞めるの」という質問はおかしいです。
辞めることに理由はいりません。
続けることに理由がいるのです。

26

「今までの契約を解除する」と言われた時

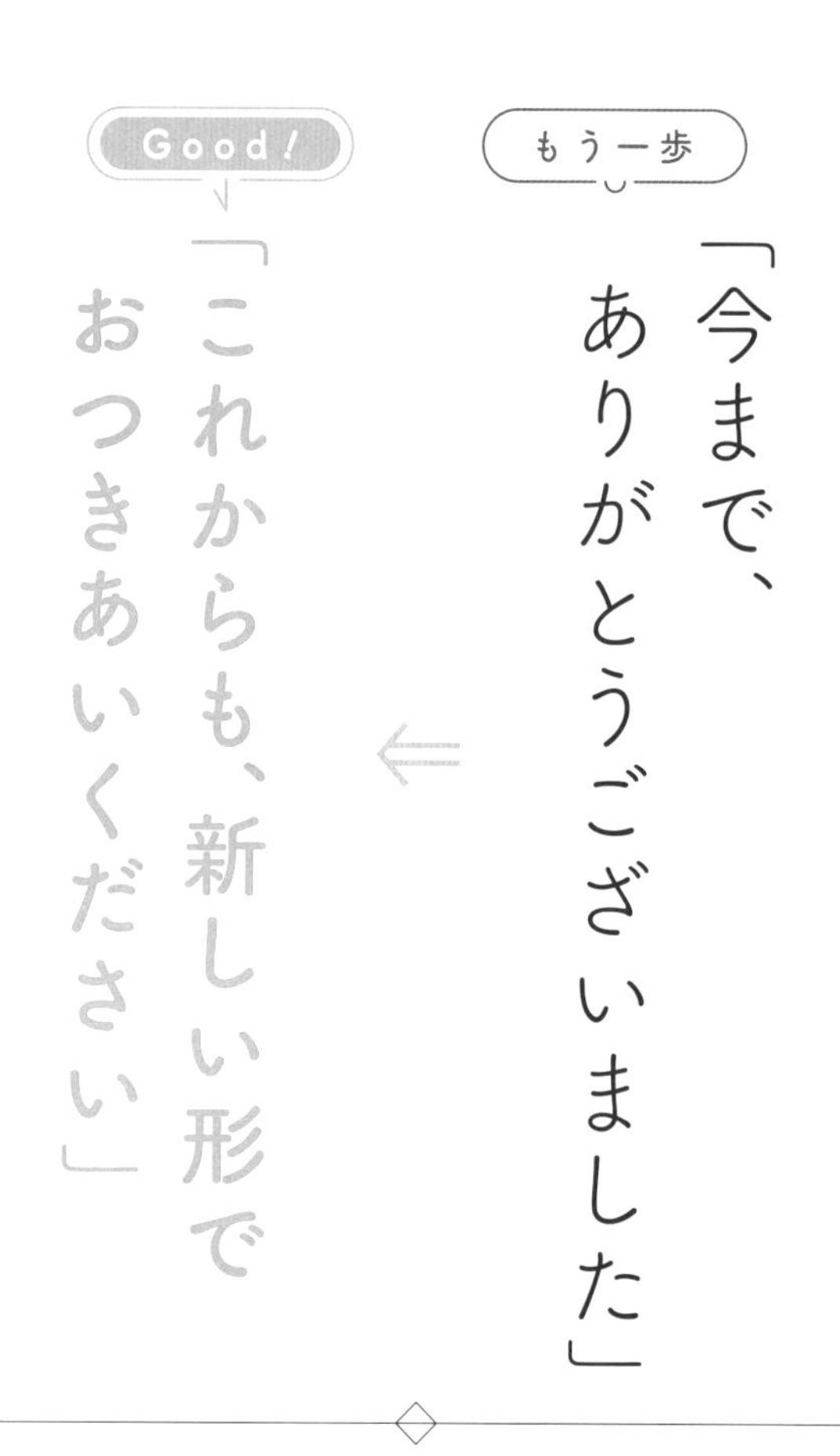

もう一歩
「今まで、ありがとうございました」
Good!
「これからも、新しい形でおつきあいください」

定年退職したり、契約更新しない人に、

「今まで、ありがとうございました」

と言うと、関係が完全に切れてしまいます。

何かをやめることは、終わりではなく、
新しい関係が始まるということです。

恋人との別れ方と同じです。

一番寂しいのは、

「もう二度と会いたくない」と言われることです。

「時々、お茶でもしましょう」

「何か困ったことがあったら、なんでも相談して」

と言うと、その後も関係が続いていきます。

27

長話を切る時

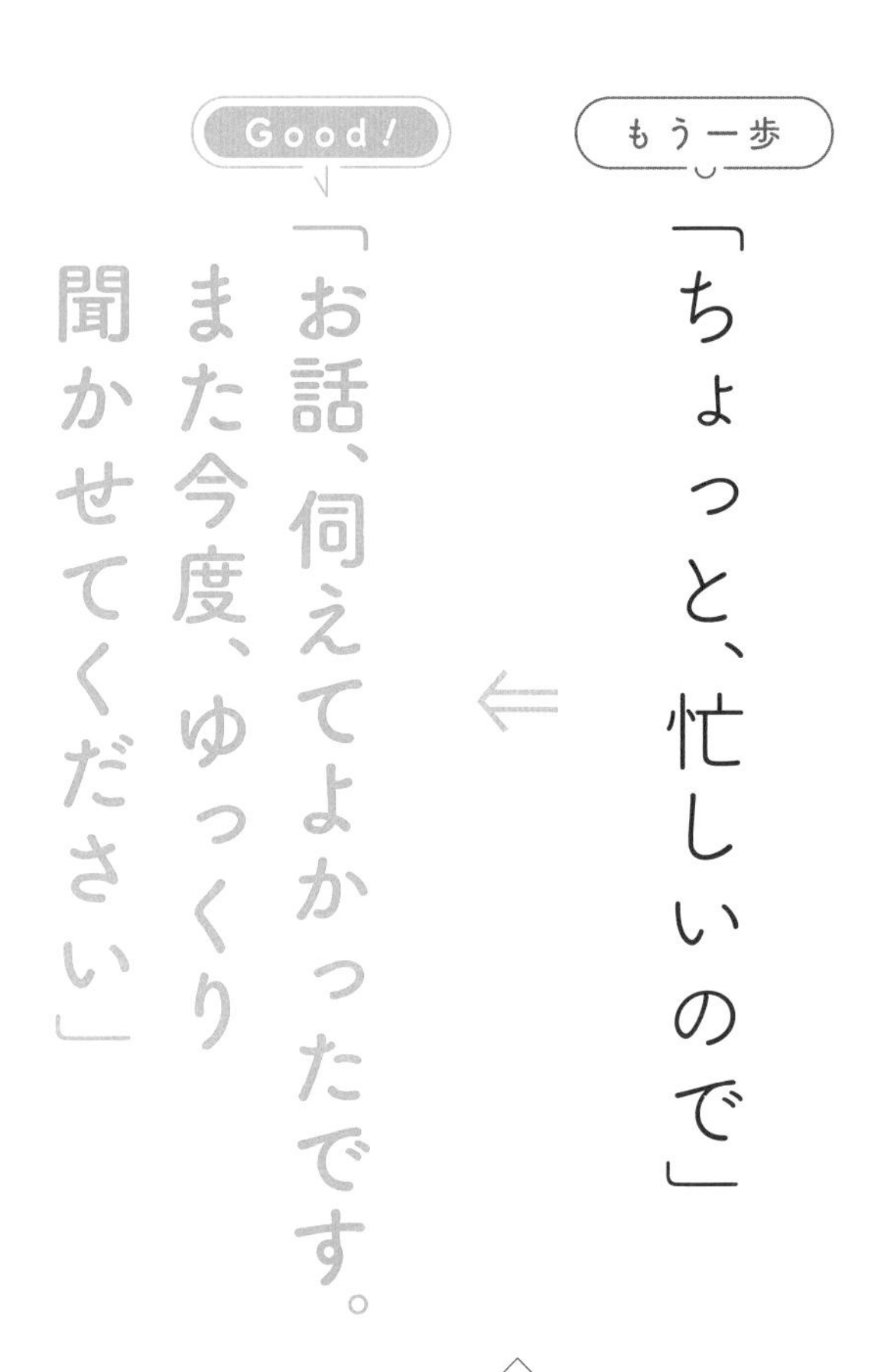

もう一歩
「ちょっと、忙しいので」
Good!
「お話、伺えてよかったです。
また今度、ゆっくり
聞かせてください」

感じのいい人ほど、話がコンパクトです。

長話をする人は、「相手に伝わっていないんじゃないか」

という不完全燃焼感があります。

「今日、お話しできて楽しかったです」

と言うと、相手は満足感が出ます。

これは、パーティーで、

ひと言だけ話をした時にも使えます。

この言葉を言われたら、

話を切ってほしいというサインです。

それなのに「それからね……」と振るのはＮＧです。

会話の意味がわかっていません。

言いかえがうまい人は、

相手の言葉の裏に隠されている感情も、

同時に酌み取ることができるのです。

28

帰る時

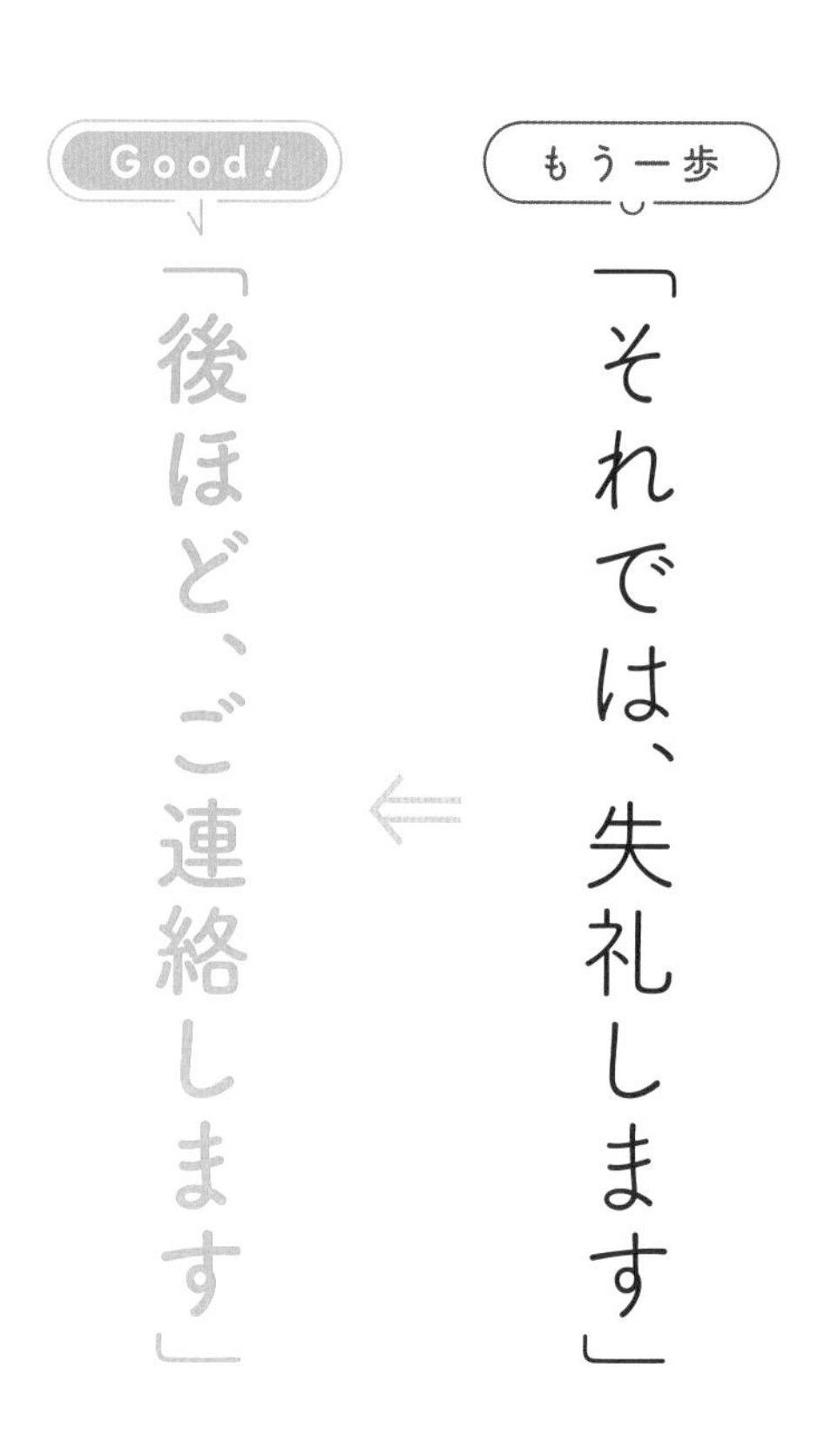

もう一歩
「それでは、失礼します」
Good!
「後ほど、ご連絡します」

別れる時、
「何かあったらぜひ一緒にやりましょう」と言うのは、
「ご健闘をお祈りします」と同じぐらい、
関係を切る言葉です。
「後ほどご連絡します」と言うと、
「企画の1本でも相手に送らなければ」と思い、
話がどんどん進んでいきます。
パーティーで話した後、関係が続いていく人は、
その日の晩から翌朝までの間で、
次に会う約束ができ上がります。
それまでに決まらなければ、関係性はなくなります。
実質は12時間以内ルールです。
感じのいい会話は、
続いていく関係であることがわかるのです。

29

知っていることを伝える時

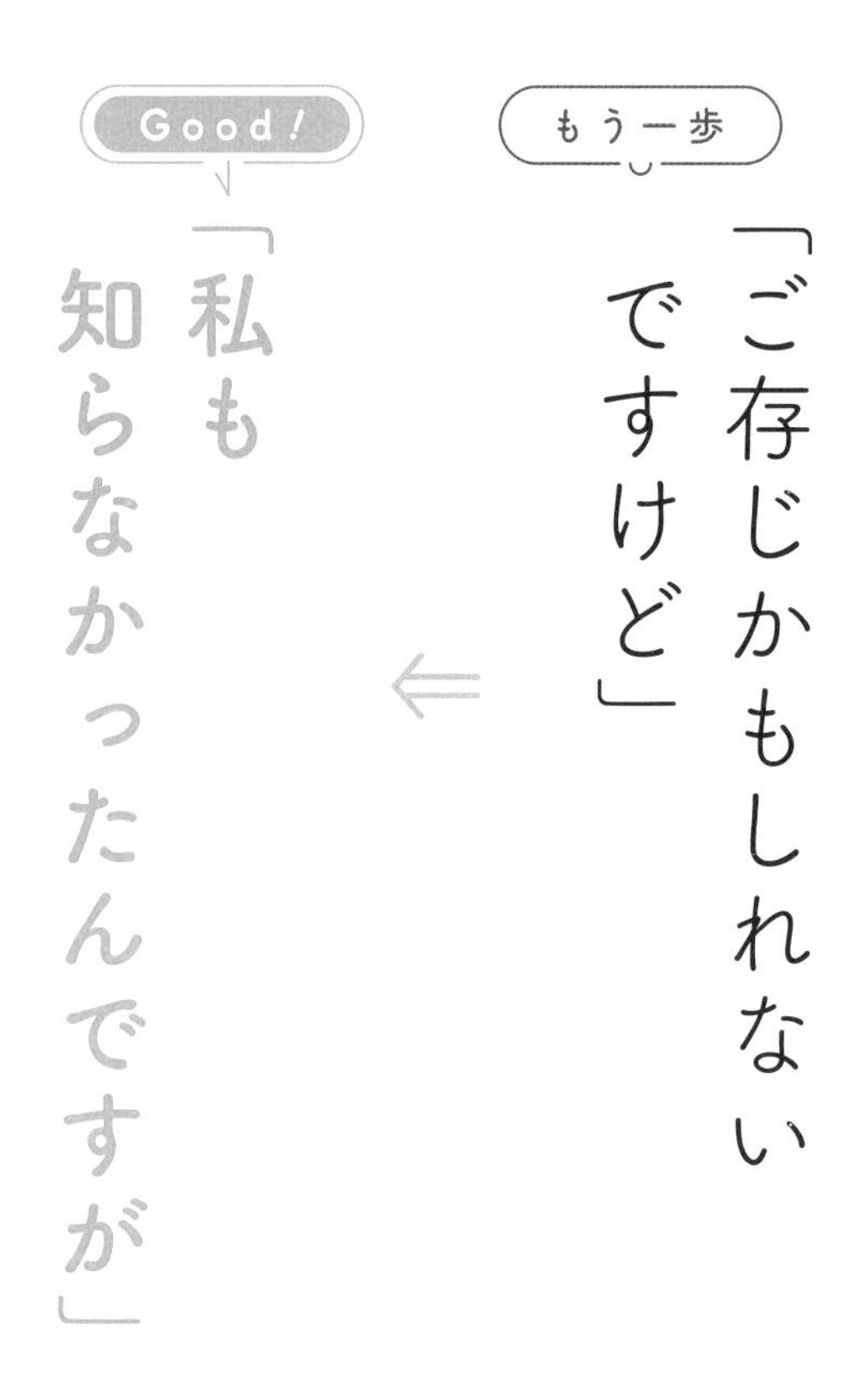

もう一歩
「ご存じかもしれないですけど」
Good!
「私も知らなかったんですが」

ワインのウンチクを話したり、
ゴルフの教え魔は愛されません。
「ご存じかもしれませんけれども」は、
「私は前から知っていたけど、
あなたは知らなかっただろう」
というマウンティングになります。
ウンチクっぽい感じになります。
情報を出す時は、
「私も知らなかったんですが」と言います。
そうすると、後から出てくる情報が
押しつけがましくなりません。
相手と自分の位置を水平にすることで、
相手も、すっと受け入れることができるのです。

30

何かをやめてほしい時

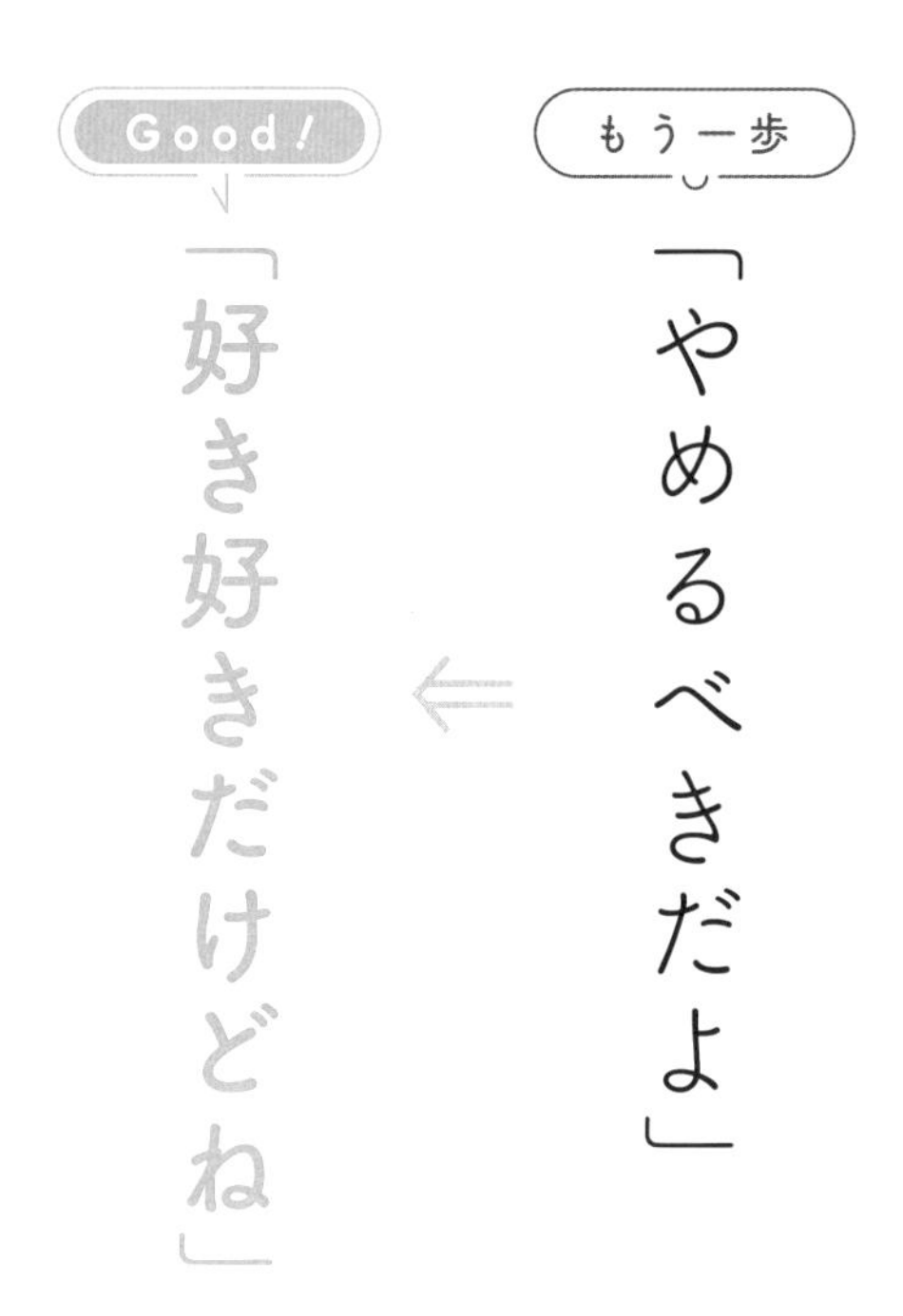

もう一歩
「やめるべきだよ」
Good!
「好き好きだけどね」

何かをやめてほしい時に、「やめて」と言っても相手はやめません。

目的は、言うことではなく、最終的に動かすことです。どう言えばどう動くかを予測して話します。

言葉は、作用・反作用の関係があります。

私は、「好き好きだけどね」と突き放します。

かたづけ士の小松易（こまつやすし）さんに中谷塾に来てもらった時、「母親の思い出の品物が捨てられないんです」と、一人の塾生が言いました。

そこで、小松さんは「それ、とっときましょう」と、アドバイスしました。

すると、塾生は「捨てます」と言って、アドバイスと逆のことをしたのです。

31

会う日が延期になった時

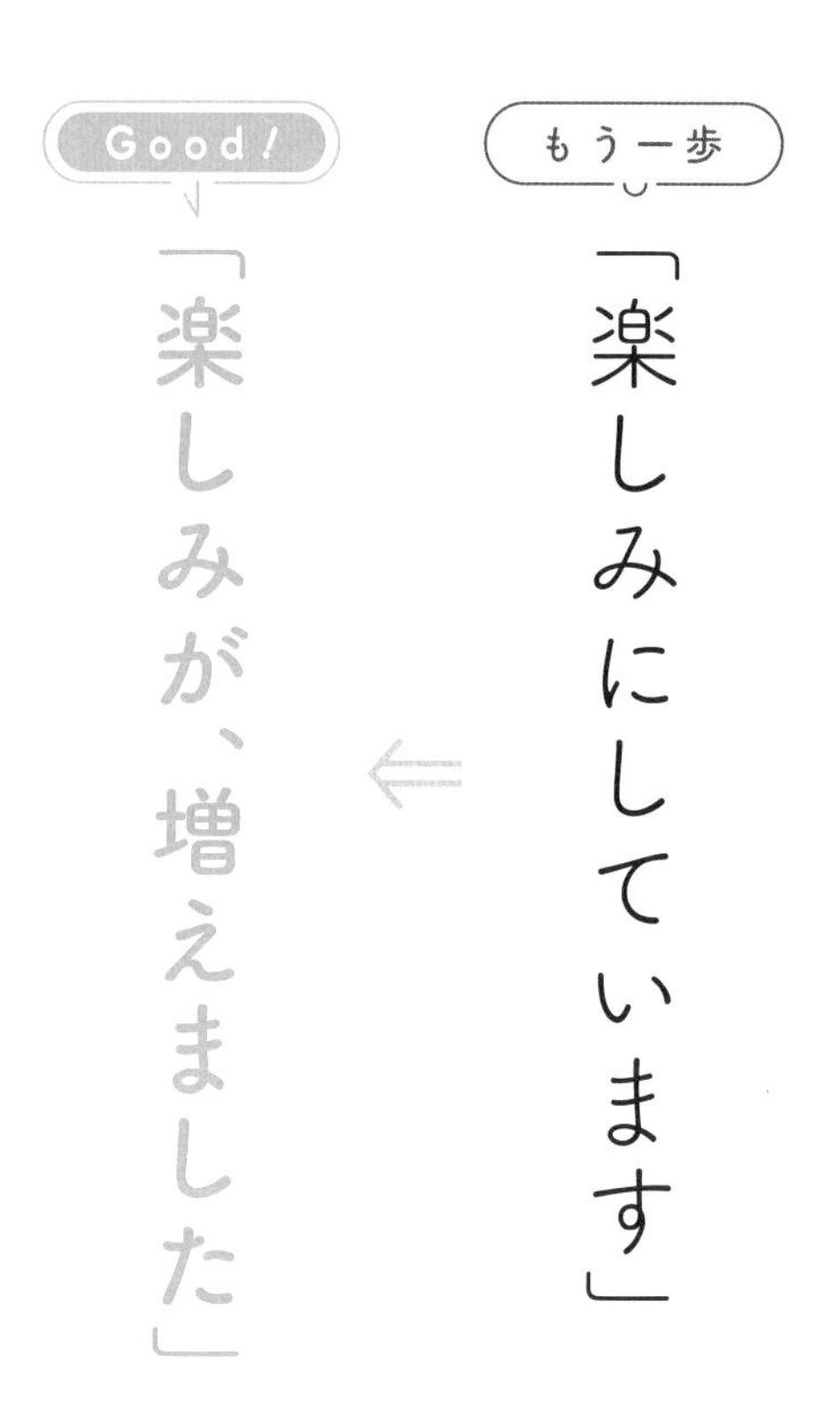

もう一歩
「楽しみにしています」
Good!
「楽しみが、増えました」

会う日が延期になって、
「楽しみにしています」では、
プラスマイナス・ゼロです。
楽しみにしていたのに「ガッカリ」という気分も、
相手に伝わってしまうからです。
「楽しみにしています」は、
相手に、負担になる言葉になります。
延期になったことで、
ワクワクのポイントが倍増したというお得感が、
「増えました」で伝わるのです。

32

ボツになった時

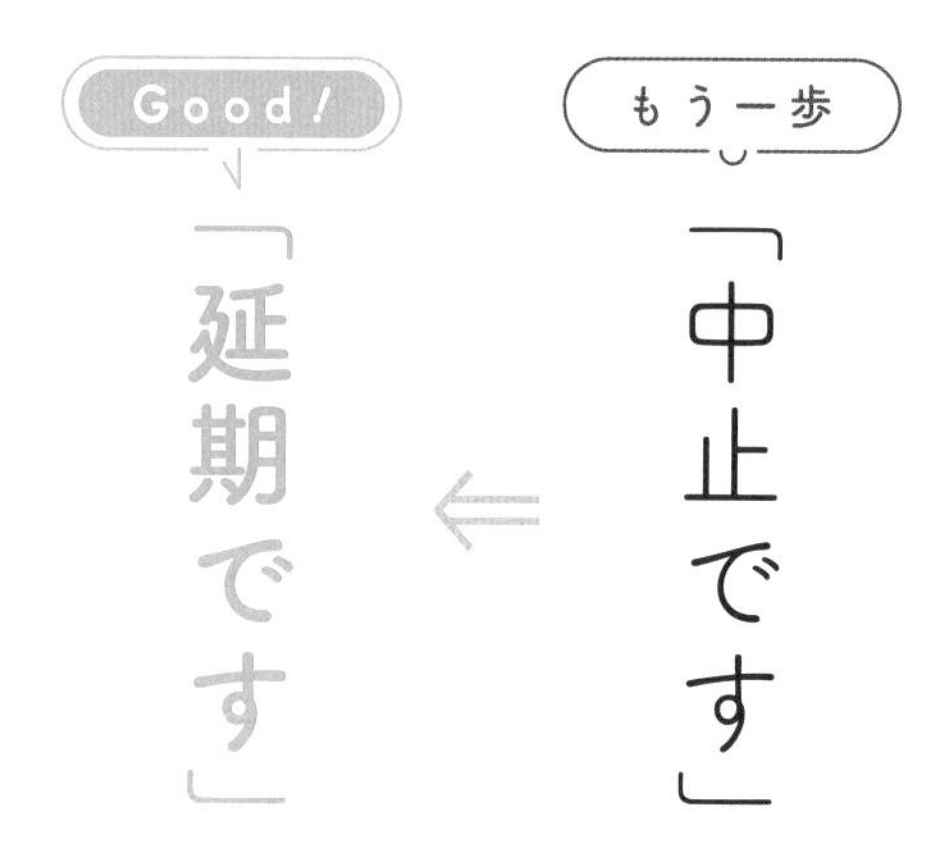

本をつくる企画がボツになったり、
講演の企画が中止になることがあります。
その時、「中止です」という言い方はせつないです。
味もそっけもありません。

「延期」と「中止」は、ニュアンスが違います。
延期は、中止ではなく、先に延ばしただけです。
まじめな人は、「今後やるか、まだ全然見えないんです」
と言います。

この先、するかしないか決まっていないなら、
それは「延期（ペンディング）」と呼びます。
「ボツだったんです」は、未来永劫ないということです。
それでは、未来への取っかかりがなくなります。
未来に1%の可能性を残しておくことが大切なのです。

chapter 4

お詫び

より絆を強くする。

33

お詫びする時

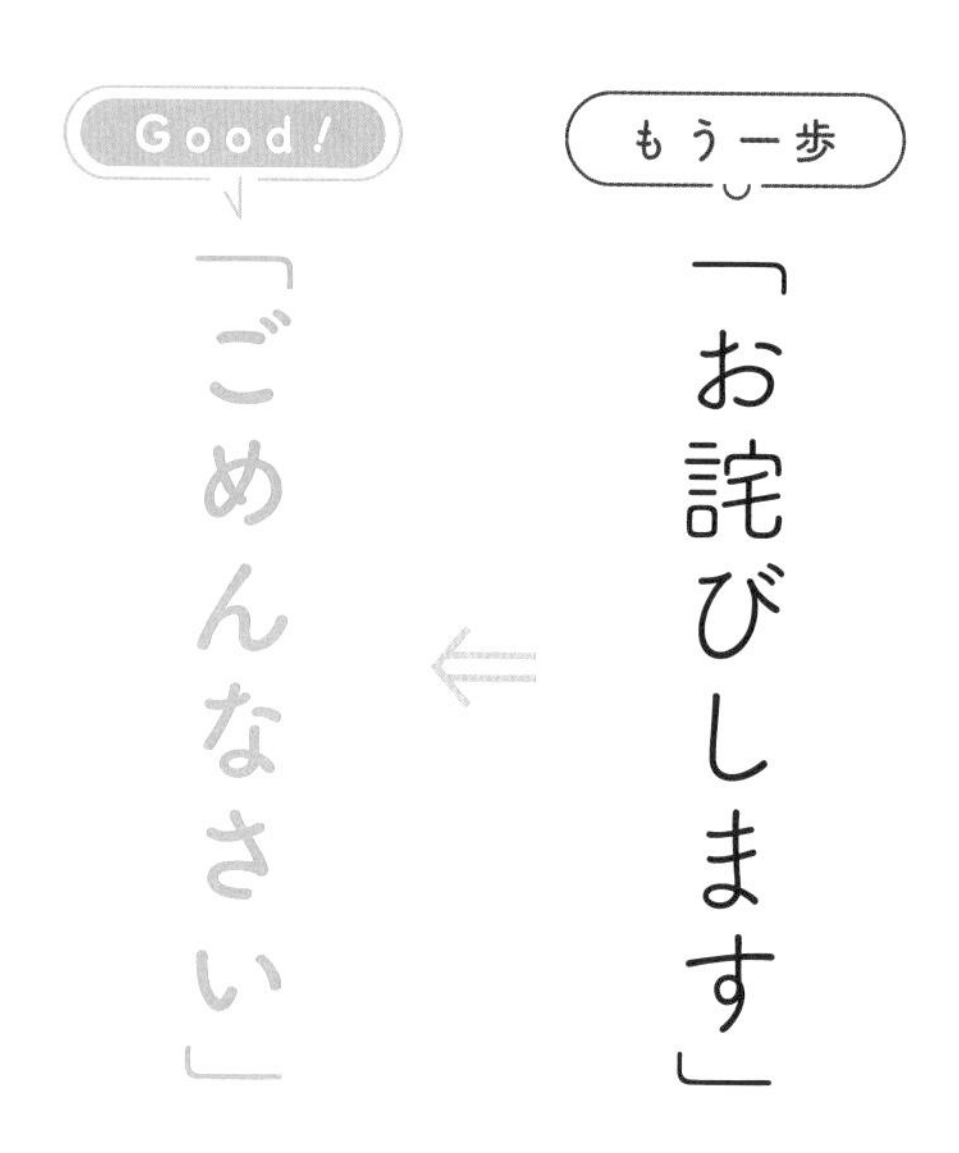

もう一歩
「お詫びします」
Good!
「ごめんなさい」

「お詫びします」は、年配の男性に多いです。
謝ってる感は、ひとつもありません。
さらに、「もし私が悪かったとしたら」
という言い訳を想像させます。
「お詫びします」は地の文で、感情が残りません。
感情がのるのは、「ごめんなさい」というセリフです。
これは、とても感じがいいです。
メンツにこだわる人は、「ごめんなさい」が言えません。
感情を口に出すことは、恥・負けと思うからです。
言葉に勝ち負けを持ち込むと、疲れます。
「お詫びします」は、ふんぞり返って威張っています。
「ごめんなさい」は、素直に負けを認めています。
「ごめんなさい」が言えるかどうかは、
メンタル力の差なのです。

34

遅れた時

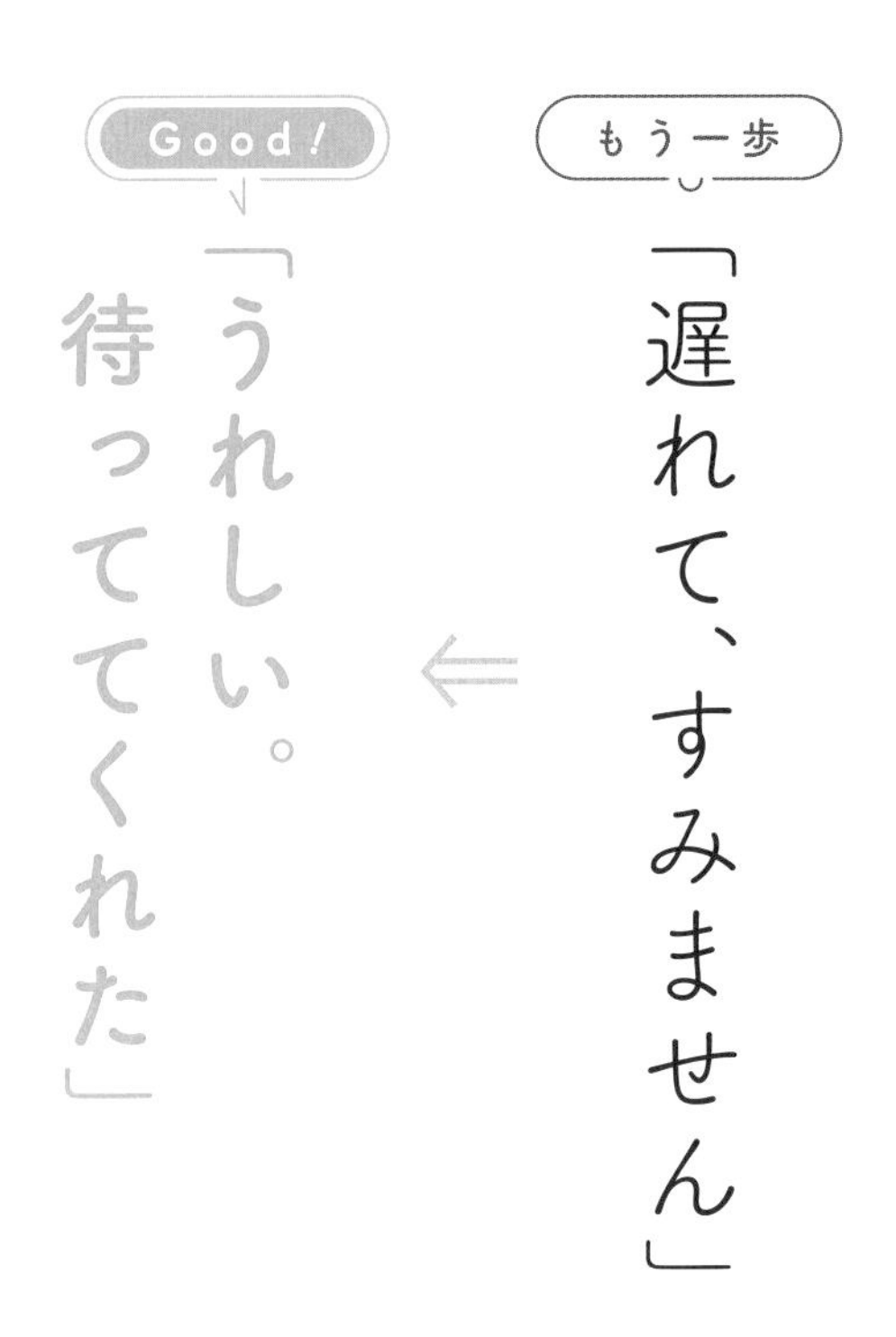

もう一歩
「遅れて、すみません」
⇐
Good!
「うれしい。待っててくれた」

「謝られている人」は、他人から見ると、
「怒っている人」と見えてしまいます。

「遅れて大変申しわけございません」と謝る人がいると、
隣で別の待ち合わせをしている人は、
「なんだよ、遅刻したぐらいで怒るなよ」と思います。

「すみません」は、
相手をかわいそうな立場に追い込んでしまう
言葉になります。

遅刻した時に待っててくれた人は、いい人です。
「遅れて大変申し訳ございません」だけで終わらずに、
「うれしい、待っててくれた」というひと言で、
言われた側はいい人になるのです。

35

長話になって時間をオーバーした時

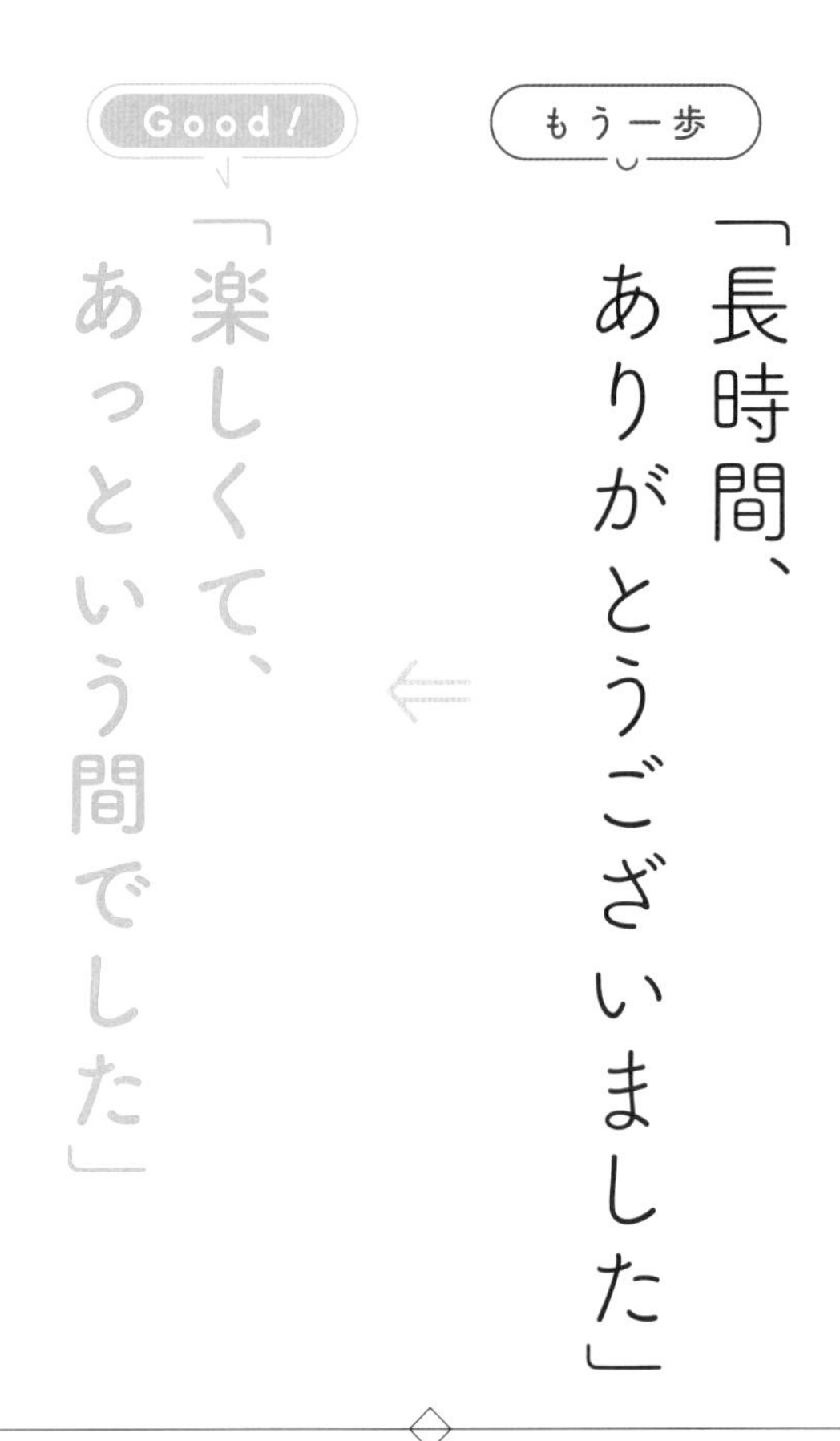
もう一歩
「長時間、ありがとうございました」
Good!
「楽しくて、あっという間でした」

1時間の約束の面会が3時間に延びることがあります。
それは楽しかったからです。
その時、丁寧な人は、
「長時間、ありがとうございました」と言います。
それは事実の説明です。
大切なのは感情です。
「楽しくて、あっという間でした」と言われると、
「2時間半オーバーしても
楽しんでくれたんだ。よかった」と思います。
相手を喜ばせるのではなく、
いい気分になってもらうのが好かれる言葉なのです。

36

「間違ってるよ」と言われた時

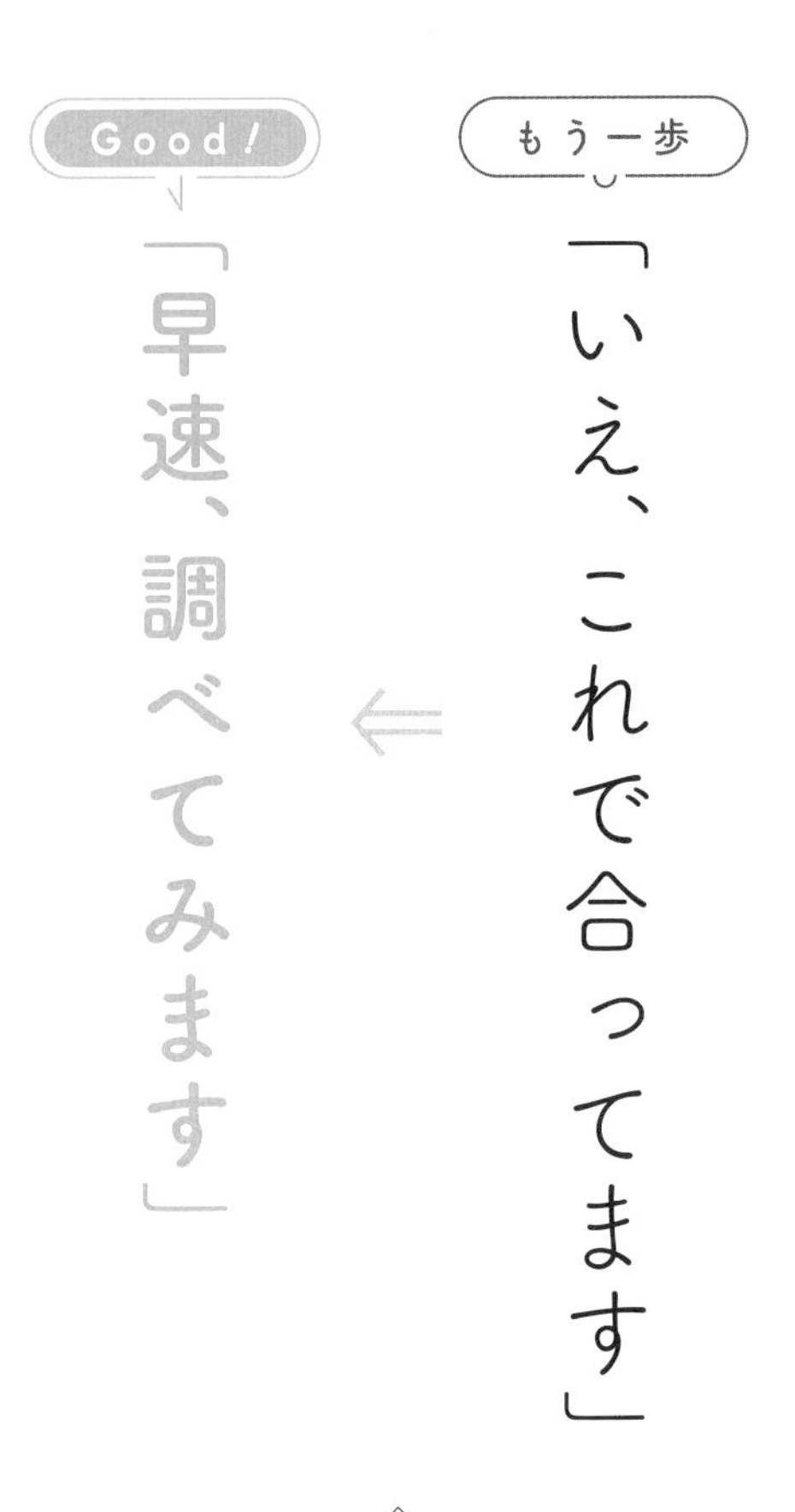

もう一歩
「いえ、これで合ってます」
Good!
「早速、調べてみます」

「いえ、これで合ってます」と言うと、
相手は「いや、そんなことはない」とムッとします。
指摘した本人が間違っていた場合は、
恥をかかせることになります。
指摘されたことを調べてみると、
自分が間違っていることもあれば、
「最近はこういう言い方をするんだ」と
相手が間違いに気づくこともあります。
2人が正しいと思うことが違った時は、
どちらが正しいか、こだわらないことです。
「調べる」という別の行動に置きかえると、
感じがいいのです。

37

反論する時

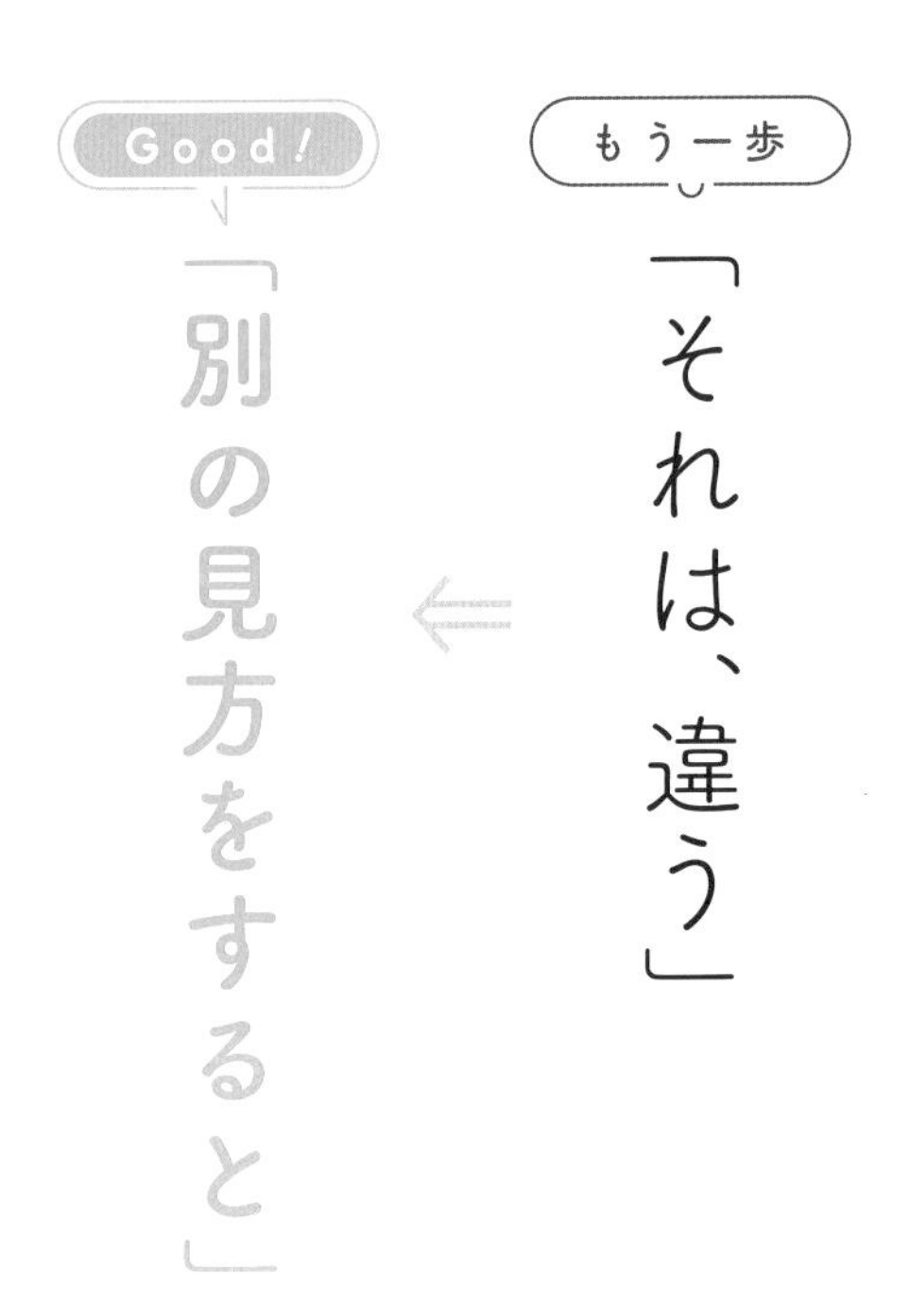
もう一歩
「それは、違う」
Good!
「別の見方をすると」

「それは、違う」は、角が立ちます。

私が使うのは、
「別の見方をすると」です。
相手の意見も受け入れて、
「アナザーオピニオンで、
こういう見方をする人もいますよね」
と言います。
「こういう見方もできなくもないですよね」
という形で別の意見を出すのです。

意見は、どちらが正しいかではありません。
いろんな意見を出し合って、
総合的に何かの結論に導かれることが大切です。
反論し合う関係は、水かけ論になり、
新たな意見が出なくなってしまうのです。

chapter 5

感謝

気持ちが伝わる。

38

プレゼントをもらった時

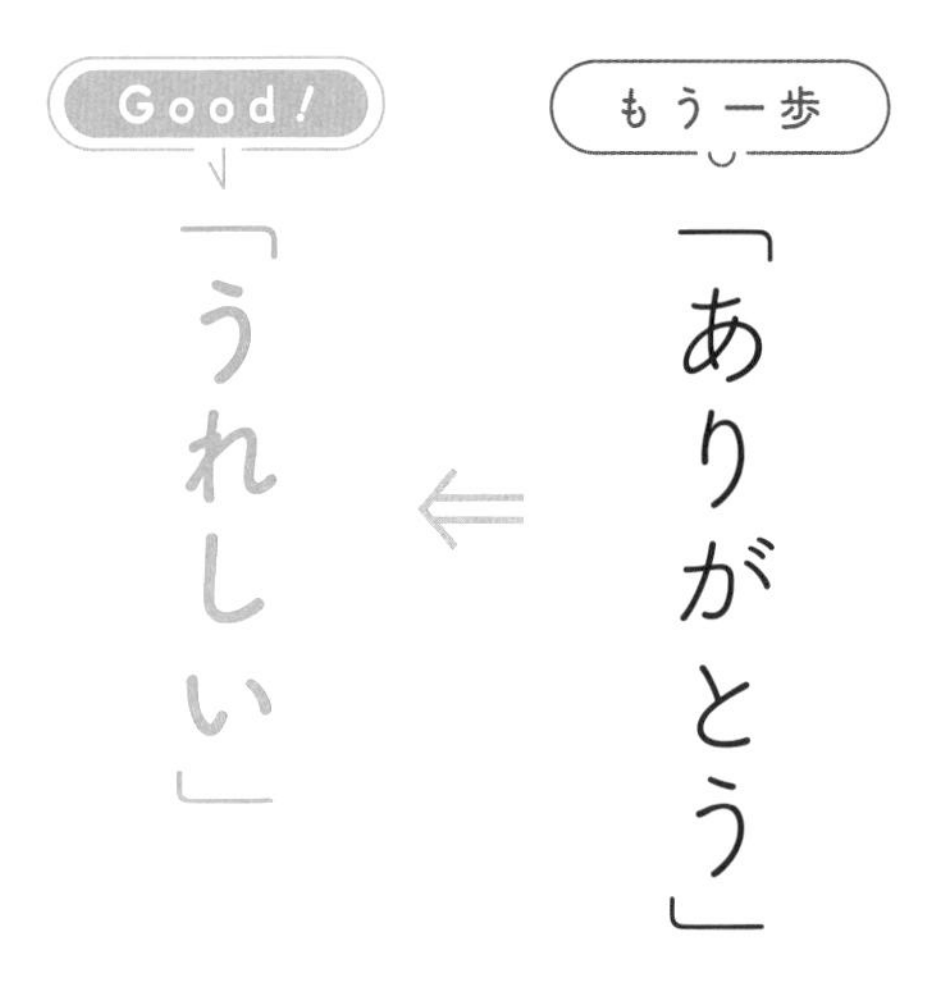

プレゼントを渡した時、
「うれしい」と言われるのと、
「ありがとう」と言われるのとでは、
天地の開きがあります。
「うれしい」と言えば、
「ありがとう」という言葉は要りません。
「ありがとう」は、冷静です。
「うれしい」は、感情です。
礼儀正しい冷静さより、
感情的な言葉のほうが、相手はうれしいです。
「ありがとう」でも間違いではありません。
△の言葉です。
△の言葉を、○の言葉に言いかえることで、
愛されるのです。

chapter 5 感謝

39

プレゼントをもらった時

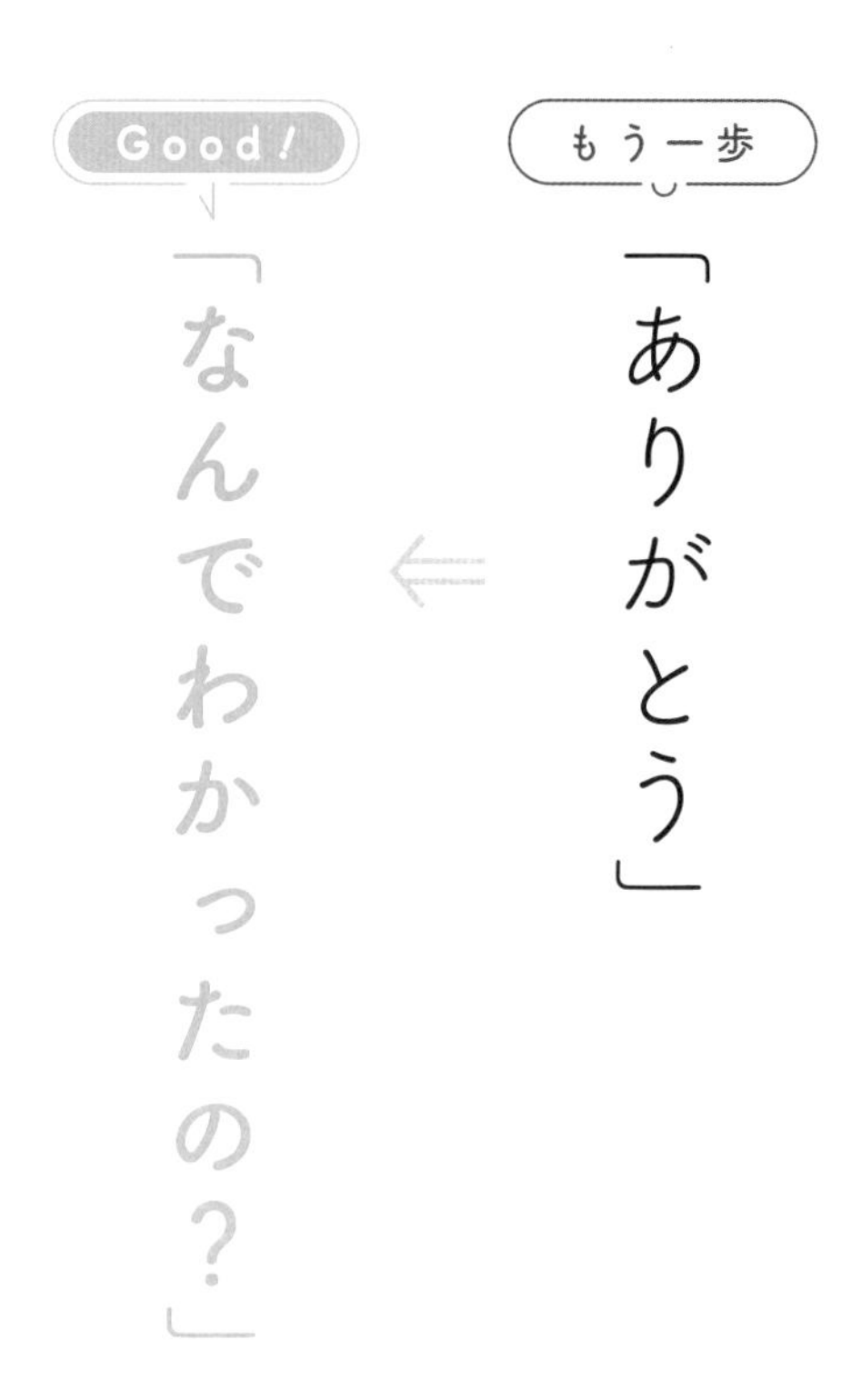

もう一歩
「ありがとう」
Good!
「なんでわかったの？」

「これ、欲しいと思っていたの、
なんでわかったの？」と言われると、
プレゼントをあげた側は、うれしくなります。
自分の勘が当たったと思います。
本当は、当たっているかどうかは、
どちらでもいいのです。
たとえ、事前に欲しいと思っていなくても、
「なんでわかったの？」と言うだけで、
相手をハッピーにできます。
やった感が生まれるからです。
プレゼントに、モノのお返しはいりません。
大切なのは、自分の喜びの言葉で、
贈ってくれた人をハッピーにすることです。

40

プレゼントをもらった時

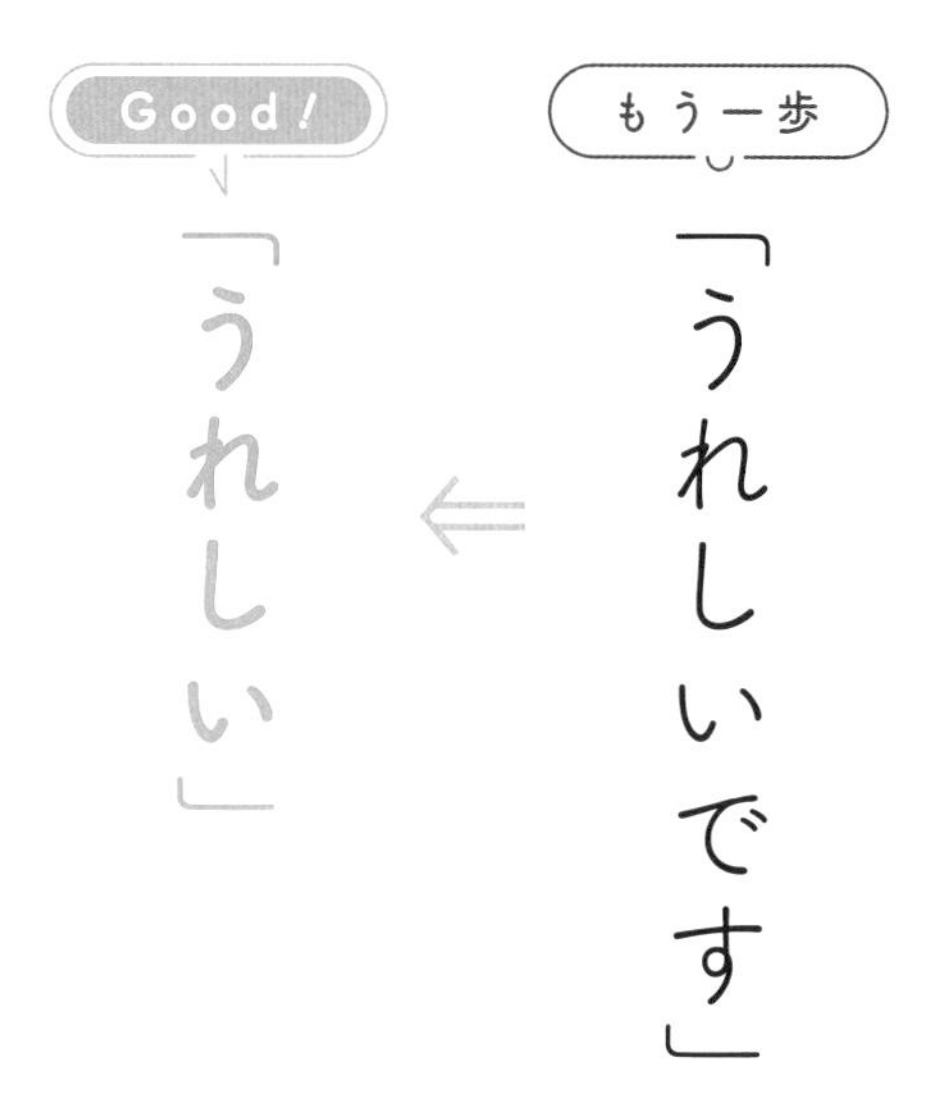

「うれしいです」は、説明です。
本当の感情を言う時に「です」は入りません。
「気持ちいいです」は、
気持ちよさが少し下がっています。
「おいしい？」と聞いた時、
「おいしい」は、感情です。
「おいしいです」は、社交辞令になります。
彼女がいない男性は、「です」をつけます。
「です」がとれないのです。
感情を外に出すのが恥ずかしいからです。
共有したいのは、情報ではなく、
「おいしい」「楽しい」という感情です。
「です」をつけると、「おいしくない」「楽しくない」
と同じ印象を相手に与えてしまいます。

41

プレゼントをもらった時

「やったー」は、感嘆詞です。
感情の言葉で、最も素直に出てくるのが感嘆詞です。
彼女のいない男性は「やったーっ」が言えません。
恥ずかしいからです。
これはメールでも使えます。
「今日のごはんは○○を食べよう」と送信して、
「やったーっ」と返信が来たら、凄く満足感があります。
「うれしい」も、まあいいです。
「うれしいです」は、寂しいです。
「やったーっ」と、自分の感情を外に出して、
感嘆詞を使える人は、感じがいいのです。

42

来てくださったお客様が帰る時

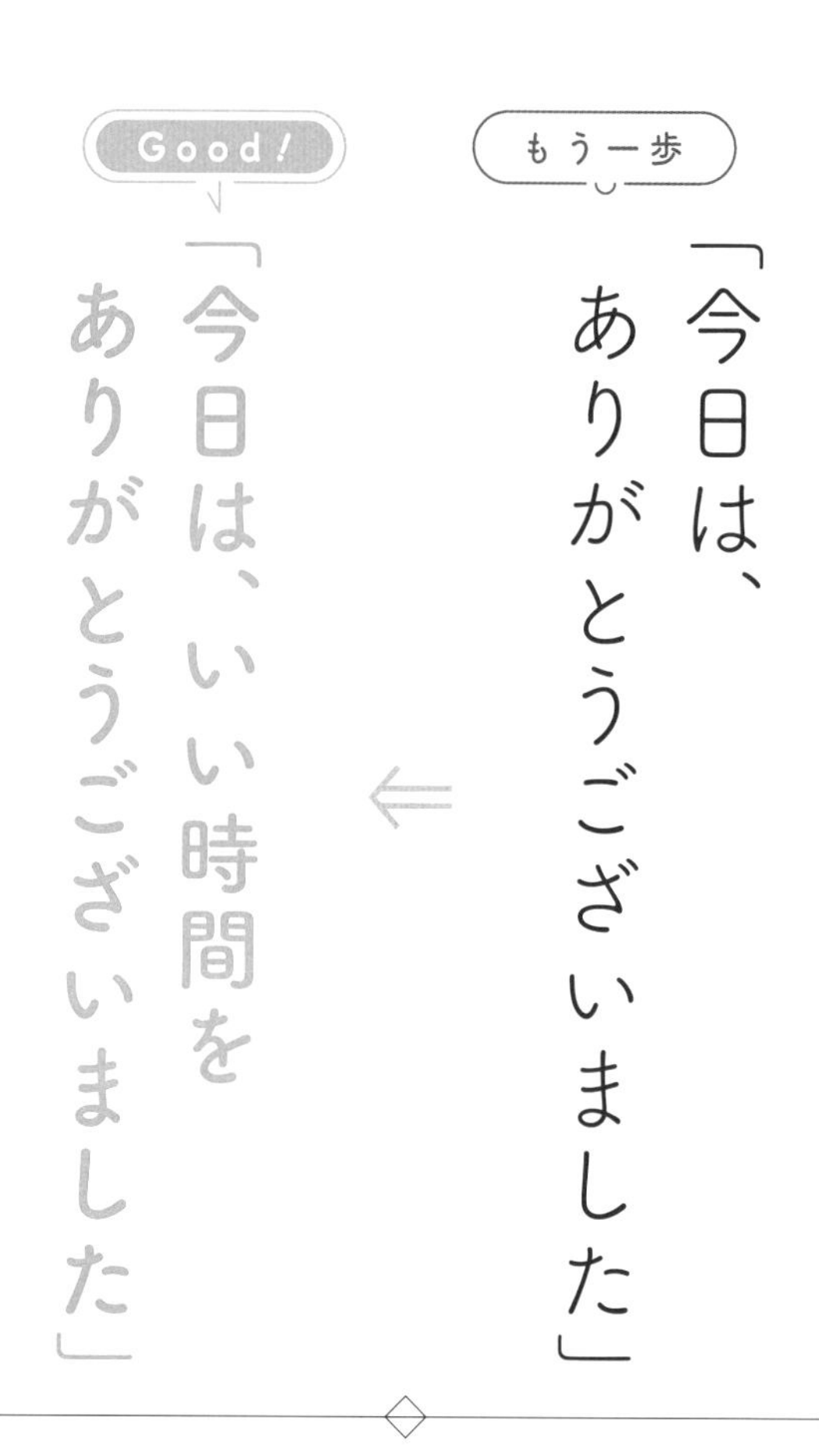

もう一歩
「今日は、
ありがとうございました」
⇐
Good!
「今日は、いい時間を
ありがとうございました」

私は、怪談家の稲川淳二(いながわじゅんじ)さんのミステリーナイトツアーに、
30年通っています。
稲川さんは最後に、
「皆さん、来ていただいてありがとうございました。
今日は、本当に皆さんといい時間を過ごさせて
いただきました」と言います。
いい時間を過ごさせてもらったのは観客側なのに、
そう言われると、観客として協力できた感じがします。
私も講演する側の人間として、
稲川さんの気持ちがよくわかります。
話し手は、聞き手がいることでとてもうれしいのです。
「聞いてくれてありがとうございました」ではなく、

時間を共有したことに対して、
感謝できる人が好かれるのです。

43

センスをほめる時

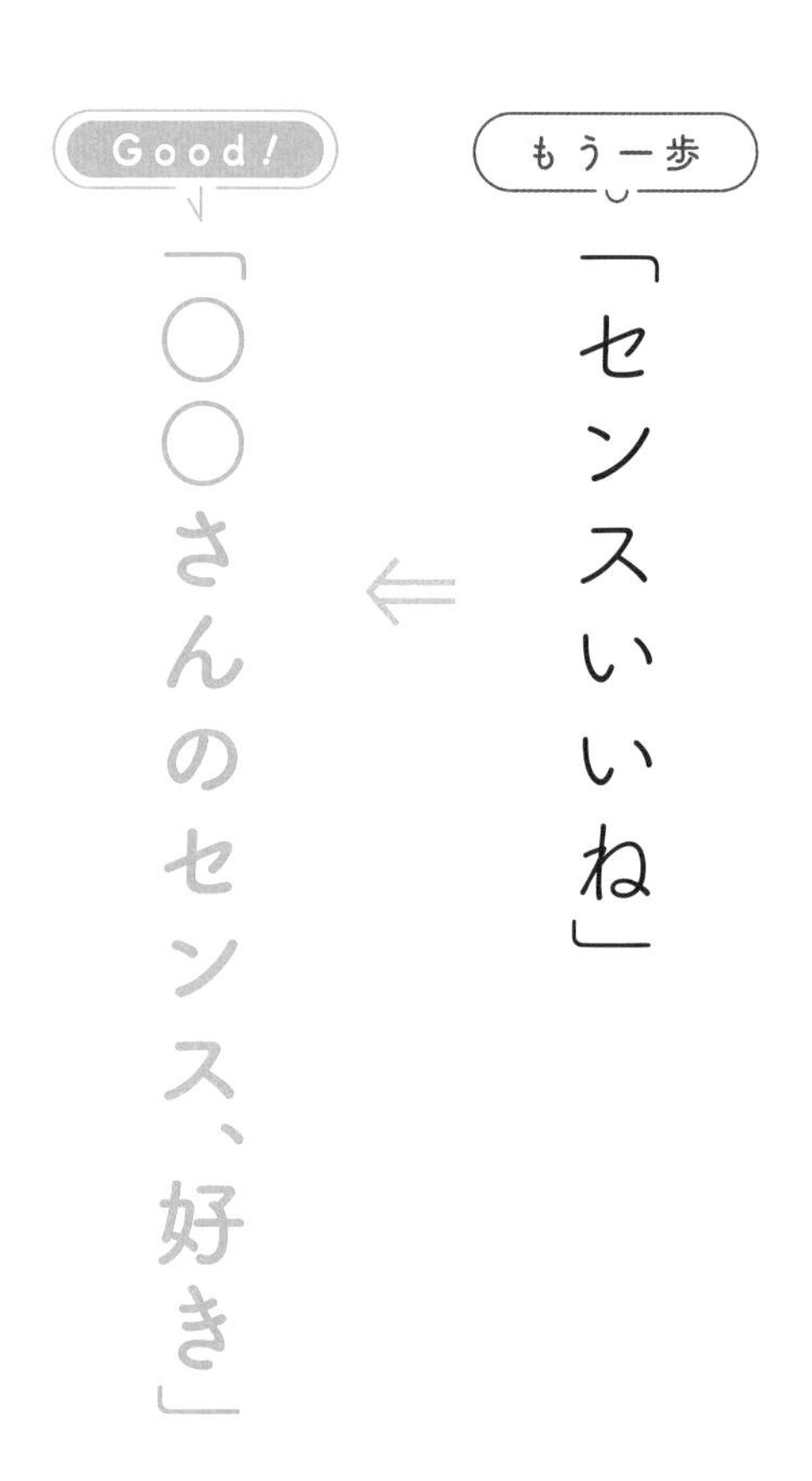

もう一歩
「センスいいね」
Good!
「○○さんのセンス、好き」

「モノをほめるのではなく、センスをほめる」と、
学んできた人は、
「服のセンスがいいね」と言います。
「いい」は、ジャッジ（評価）です。
「〇〇さんの服のセンス、好き」は、
評価ではありません。
自分の好みをカミングアウトすることです。
「好き」という言葉を使うのは勇気がいります。
「いい」は、「好きか嫌いかは別として」と、
心の中でまだブロックしています。
仲よくなれる人は、心を開いてくれる人なのです。

44

何かをしてもらった時

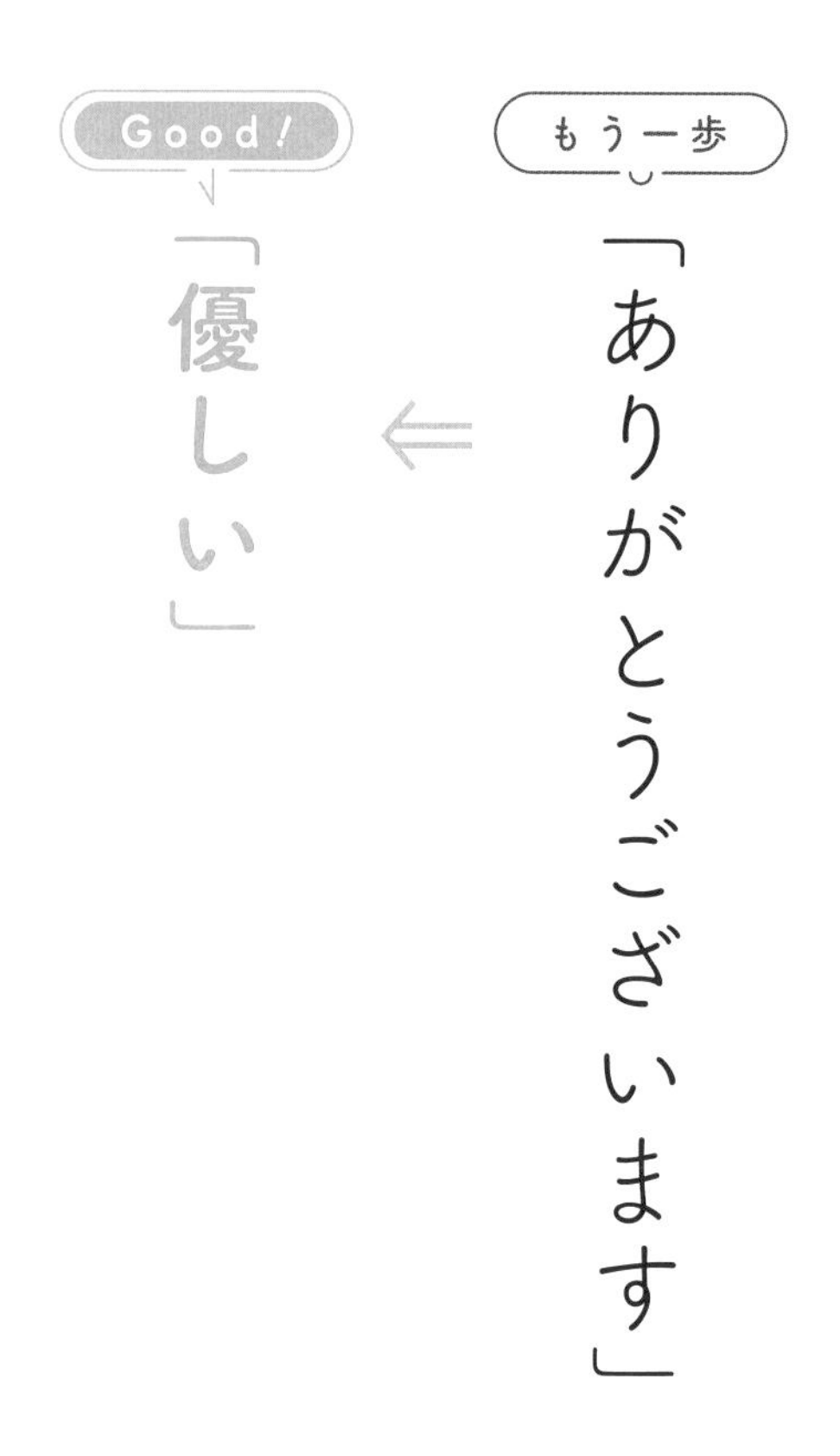

もう一歩
「ありがとうございます」
⇐
Good!
「優しい」

落としたマフラーを拾ってくれた人に、
「ありがとうございます」は、普通です。
その時、「あ、優しい」と言われると、好きになります。
「優しい」と言われた人は、
「じゃ、もっと優しくしよう」と思います。
上司や恋人に「もっと優しくしてよ」と言うと、
「してるんだけどな」という話になります。
「優しいね」と言うと、
「そうか。もっとするよ」という気持ちになります。
これは、男性も女性も同じです。
すべての言葉は、言霊です。
いい言葉も、悪い言葉も、その通りになるのです。

45

気くばりをしてもらった時

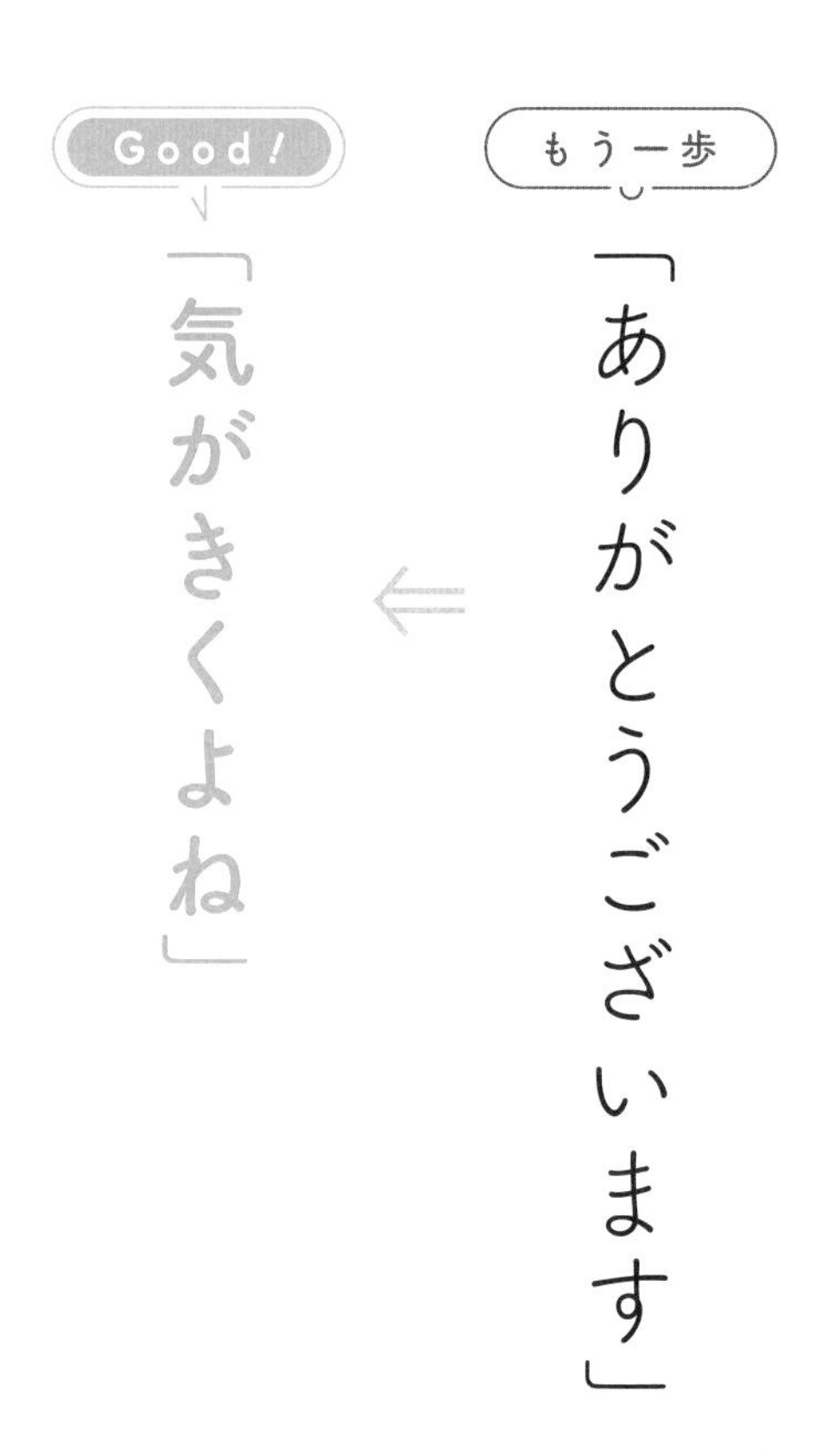

もう一歩
「ありがとうございます」
Good!
「気がきくよね」

コシノジュンコさんとご一緒した時、
シャンパンを預かろうとしたら、
ジュンコさんの手が濡れました。
私が「ハンカチありますよ」と言うと、
ジュンコさんは「ありがとう」ではなく、
「気がきくよね」と言いました。
「気がきくよね」は、
「ありがとう」より、シュートの言葉です。
言葉は、サッカーと同じで、シュートの言葉があります。
「ありがとうございます」「すみません」は、パスです。
それを別の言葉に言いかえることで、
シュートを打つことができるのです。

46

声をほめられた時

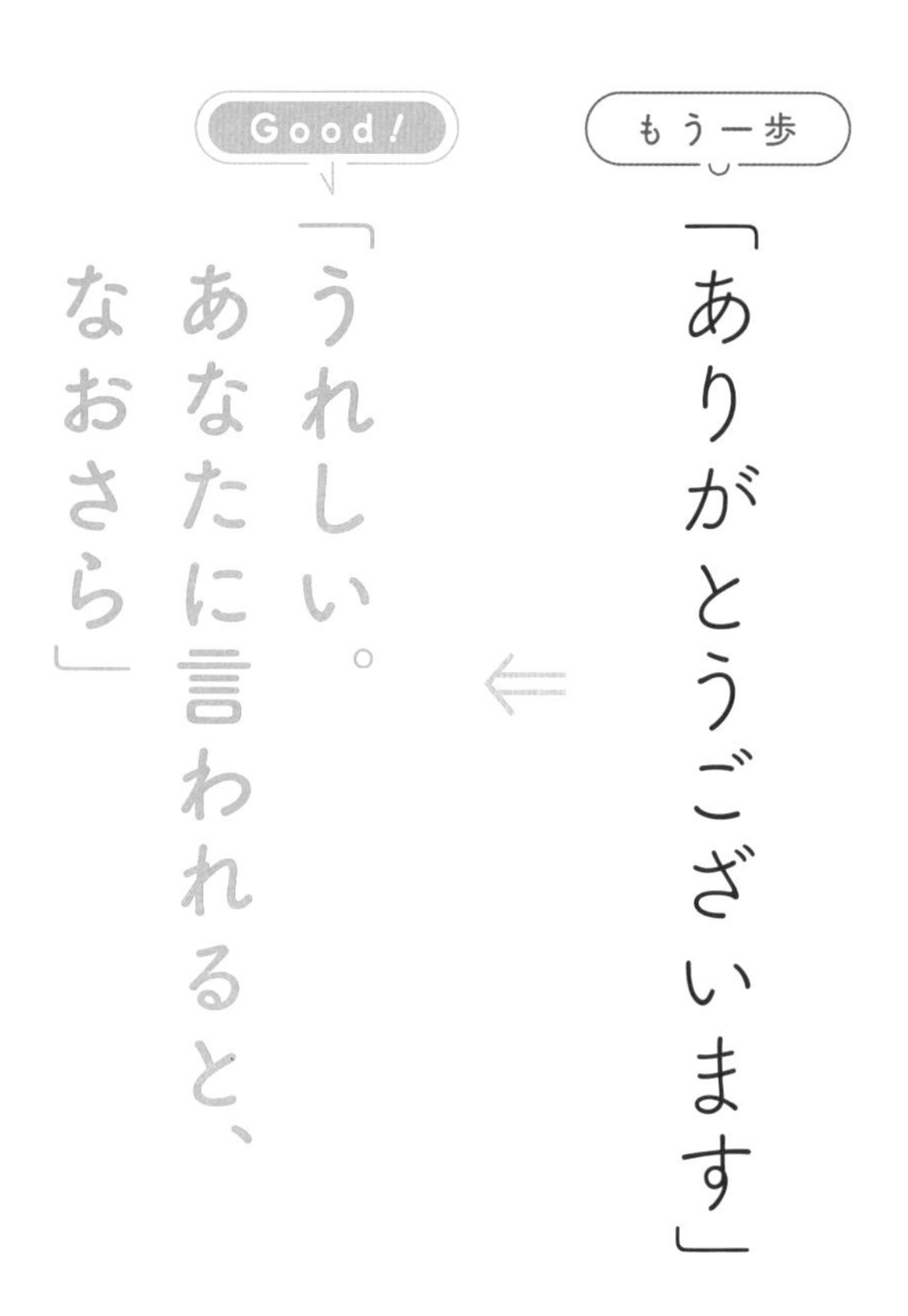

もう一歩
「ありがとうございます」
Good!
「うれしい。
あなたに言われると、
なおさら」

「いい声ですね」と言われた時は、
「ありがとうございます」で、とまらないことです。
ここは、好かれるチャンスです。
まず、「ありがとう」の前に「うれしい」と言います。
次に、誰に言われるとうれしいかで、
相手を持ち上げます。
「お客様の声を、１日に何百人と聞いている
コンビニのスタッフさんから言われるのが、
何よりもうれしい」
と伝えます。
何を言われるかではなく、
誰から言われるかを大切にするのです。

chapter 6

クレーム対応

気持ちが届く。

47

「メールが戻ってきたけど、
アドレス変えました？」と言われた時

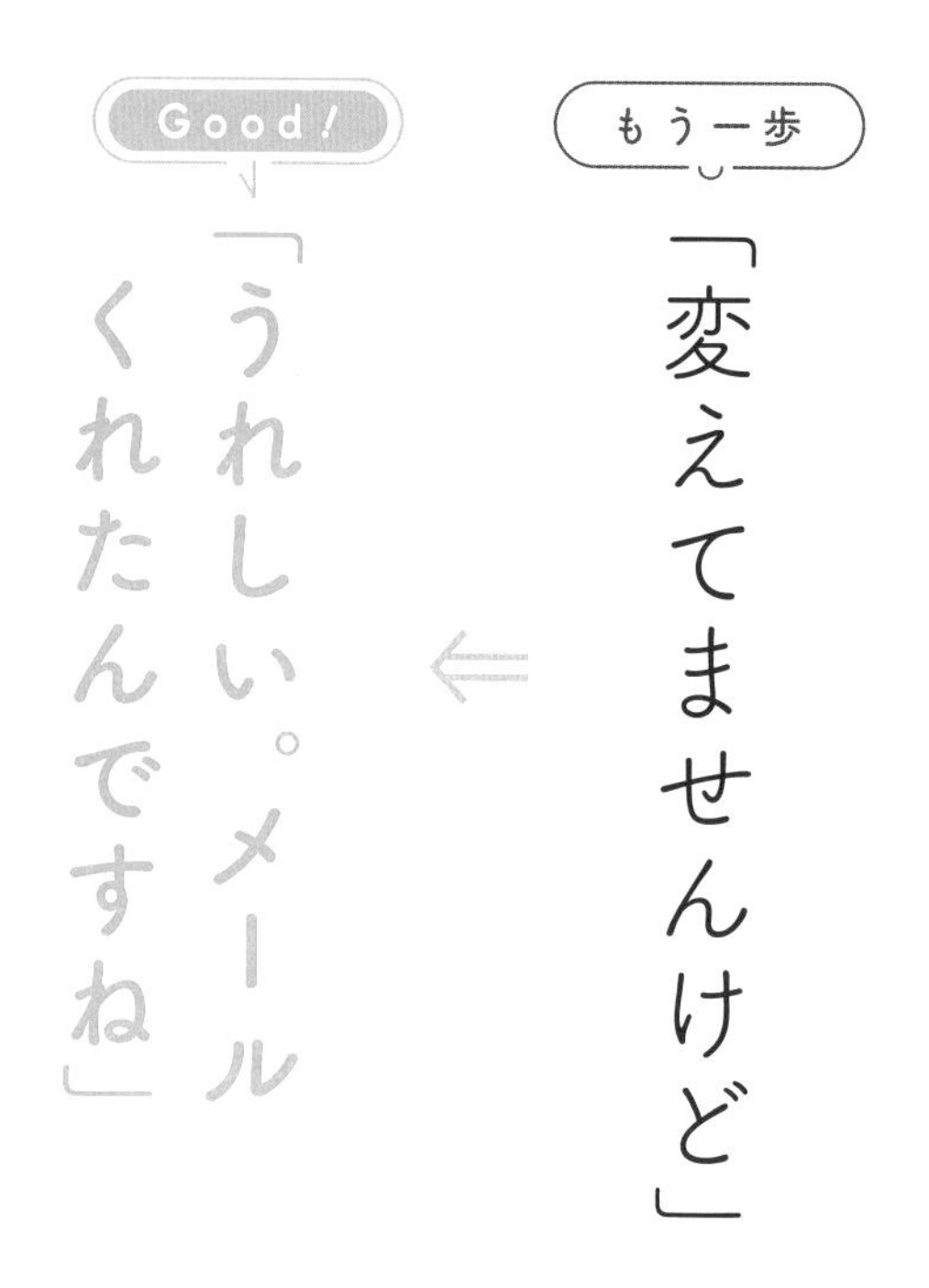

もう一歩
「変えてませんけど」
Good!
「うれしい。メールくれたんですね」

一見、クレームに近い言葉を言われた時こそ、
「うれしい」を返すチャンスです。
「うれしい」は、人間関係を改善する魔法の言葉です。
「アドレスを変えてない」というのは、説明です。
説明ではなく、メールをくれた行為に対して、
喜びを伝えるのです。
「うれしい。メールもらったんですね」
と言われた人は、いいことをした気分になれます。
それだけで、メールが戻ってきたことは、
どうでもよくなります。
小さいクレームになりそうなことを、
「うれしい」と置きかえると、
相手と仲よくなるキッカケになるのです。

48

「君は、自己肯定感が低い」と言われた時

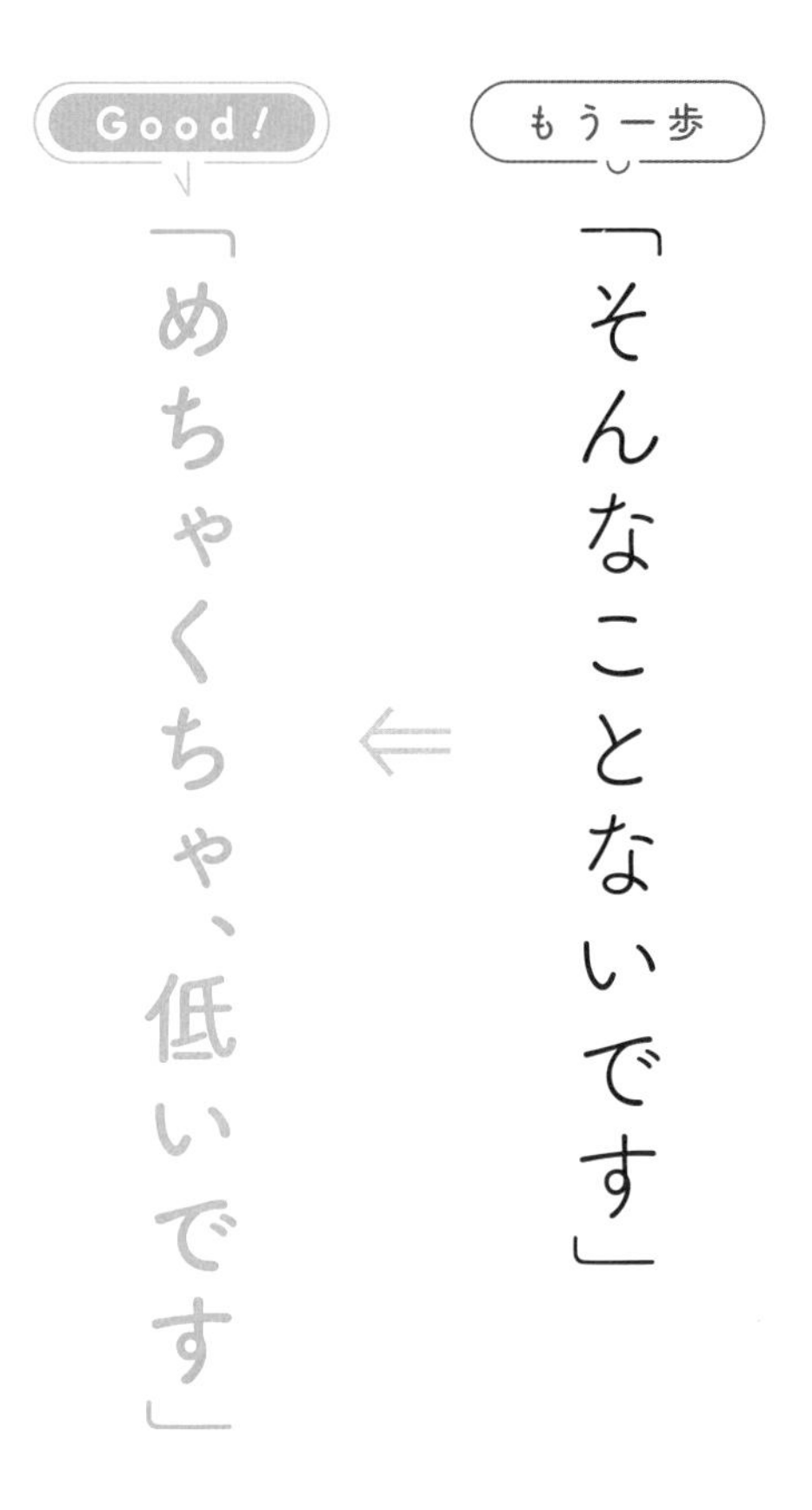

もう一歩
「そんなことないです」
Good!
「めちゃくちゃ、低いです」

中谷塾の名古屋校に社労士の丸地康仁（まるちやすひと）君が来ると、
場が常に盛り上がります。
丸地君は「君は自己肯定感が低い」と誰かに言われたら、
「自己肯定感、めちゃくちゃ低いです」と明るく答えます。
「君は友達少ないよね」と言われたら、
「もう孤独死です。誰か友達になってください」
と言うのです。

**言われたことを肯定するのが、
自己肯定感が高いということです。**

「そんなことないです」と言うのは、
言われたことを否定しています。
ネガティブなことですら肯定するのが、
本当の自己肯定感なのです。

49

「あれ、まだかな」と言われた時

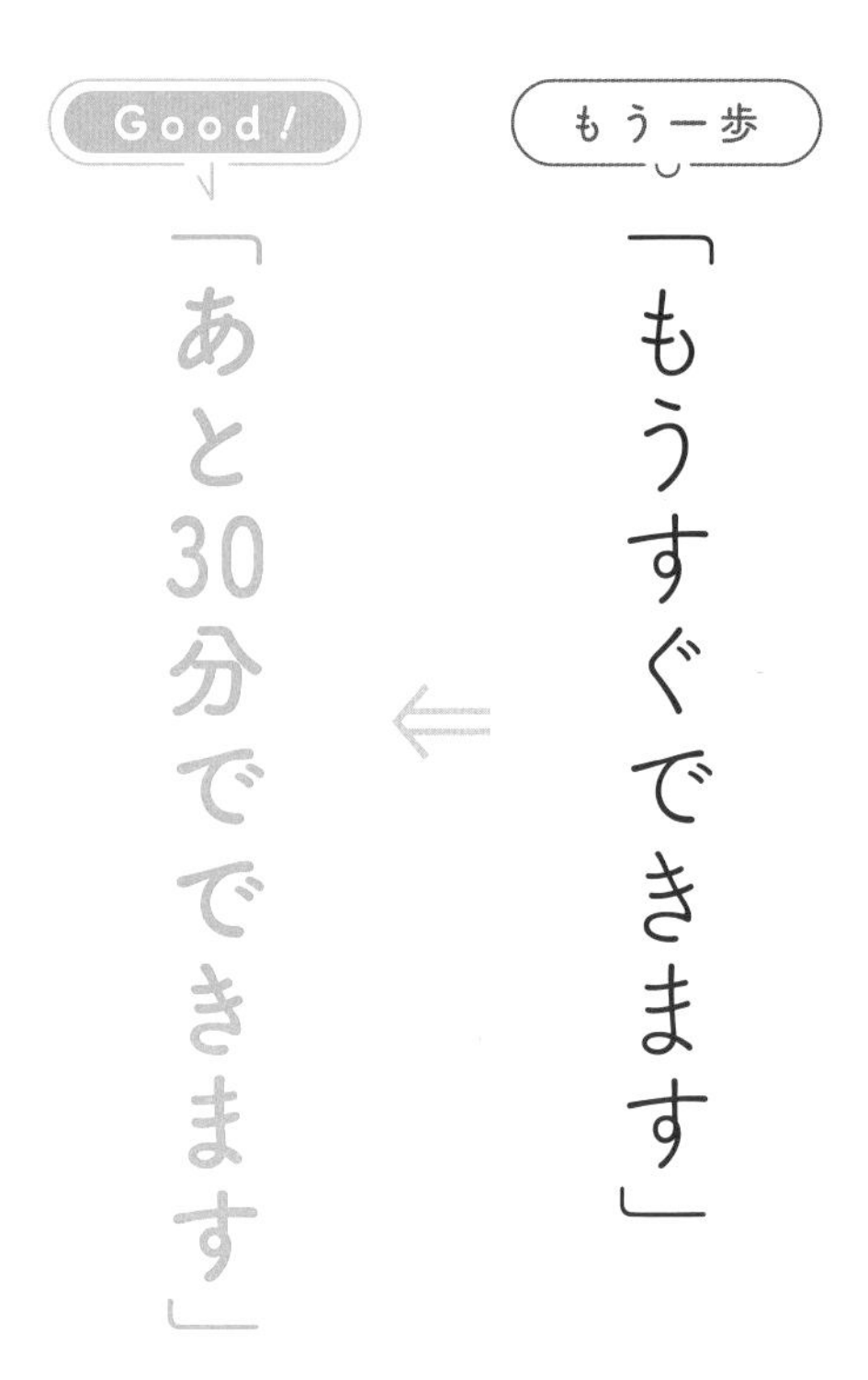

もう一歩
「もうすぐできます」
Good!
「あと30分でできます」

仕事を頼まれた時に、
忙しくてなかなかできないことがあります。
「あれ、まだかな？」と言われたら、
「こっちも忙しいんですよ」と言いそうになります。
その気持ちをグッと抑えて、
「もうすぐできます」と答えます。
これは引き分けの言葉です。
相手が求めているのは、いつできるかです。
忙しいのは重々わかっています。
「サボってる」と怒っているわけではありません。
「あと30分でできます」と具体的に言ってくれたら、
その後のダンドリが立てられます。
「もうすぐできます」と言われるのが一番困るのです。

50

ダメ出しをされた時に

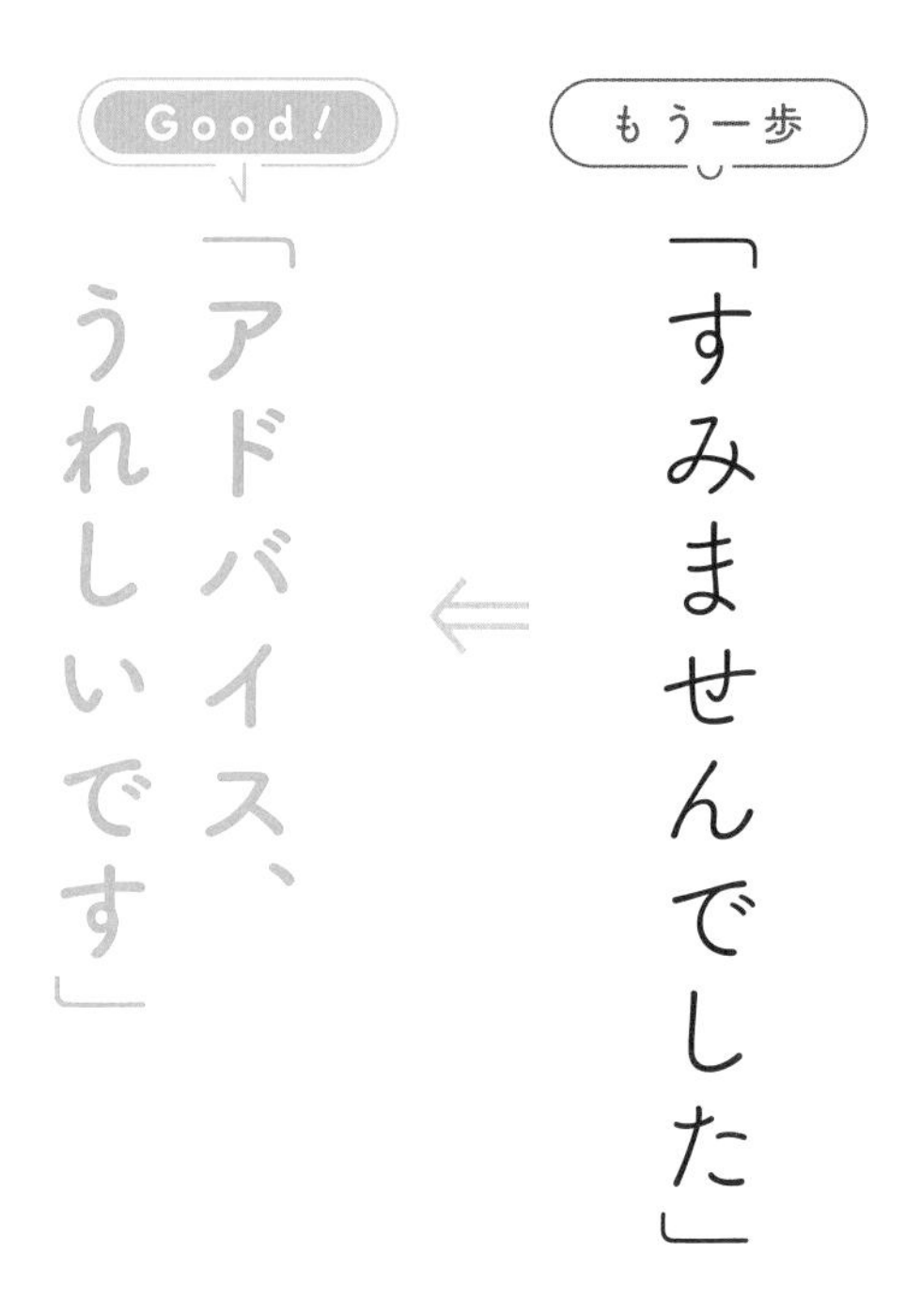

もう一歩
「すみませんでした」
Good!
「アドバイス、うれしいです」

ダメ出しをして「すみませんでした」と謝られると、
重箱の隅をほじくったような印象になり、
言った相手の自己肯定感が下がります。
「中谷さんに会うといつも説教される」と言われたら、
「今度から言いません」という気持ちになります。
「アドバイス、うれしいです」と言われたら、
もっと言ってあげたくなります。
説教とアドバイスの違いは、
受け取り手の気持ち次第です。
言っていることは、まったく同じです。
ダメ出しを説教と受けとる人は、
次からアドバイスしてもらえなくて損なのです。

51

指示された修正をした時

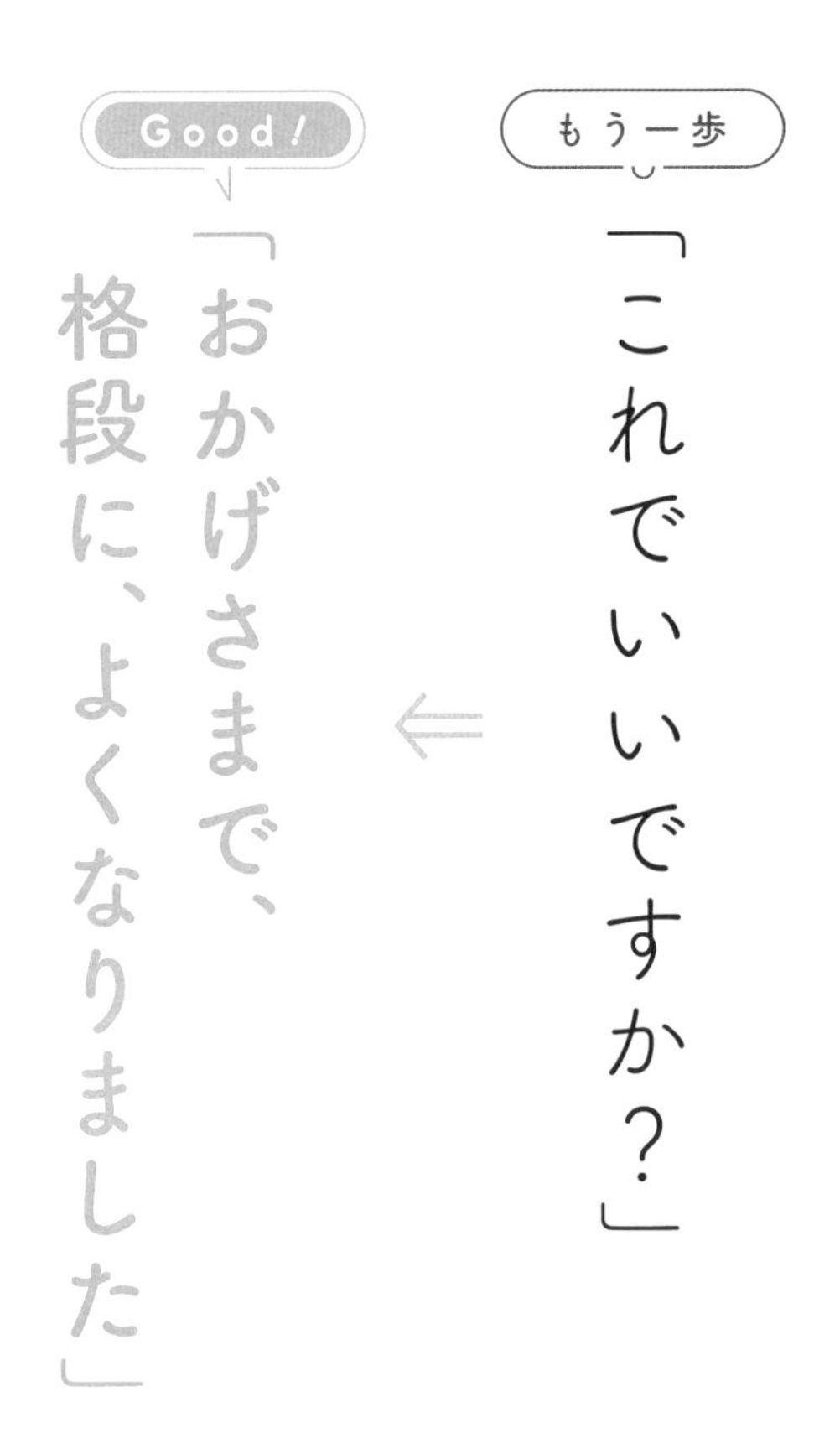
もう一歩
「これでいいですか？」
Good!
「おかげさまで、格段に、よくなりました」

編集者とのやりとりの中で、
文字や色、サブタイトルの直しが入ることがあります。
直したものを返す時に、
「言われた通り修正しました。これでいいですか」
と言うのは普通の言葉です。
「おかげさまで格段によくなりました」
と言いかえると、うれしくなって、
「あとはお任せします」となります。
「これでいいですか」と言われると、
ほかにも直しを見つけたくなります。
結果、手間ばかりかかってしまうのです。

chapter 7

ダメ出し方

角が立たない。

52

部下がミスした時

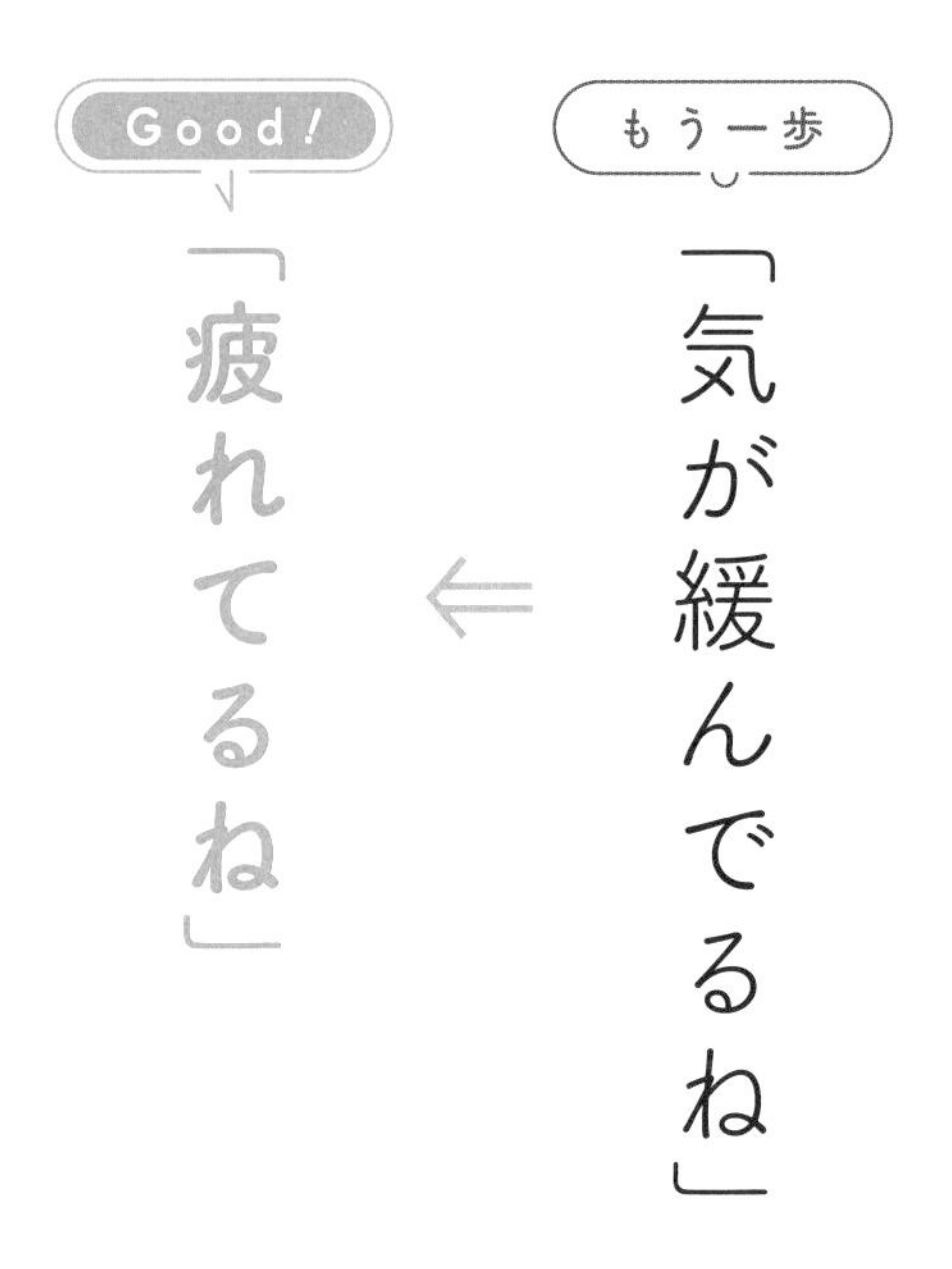

もう一歩
「気が緩んでるね」
Good!
「疲れてるね」

部下がミスした時に、
「この仕事向いてないんじゃないの」
「やる気あるの」
と、厳しい言い方はいくらでもあります。
「気が緩んでるね」は、
叱り方としては最大限優しい言葉です。
ただし、これは引き分けの言葉です。
好かれる人は「疲れてるね」と言いかえます。
その中には、
「いつも頑張ってるね」というほめ言葉が含まれます。
頑張っていれば誰でも疲れます。
疲れて凡ミスをした時に、
「お疲れでしょう」と言われると救われるのです。

53

企画がとんがりすぎている時

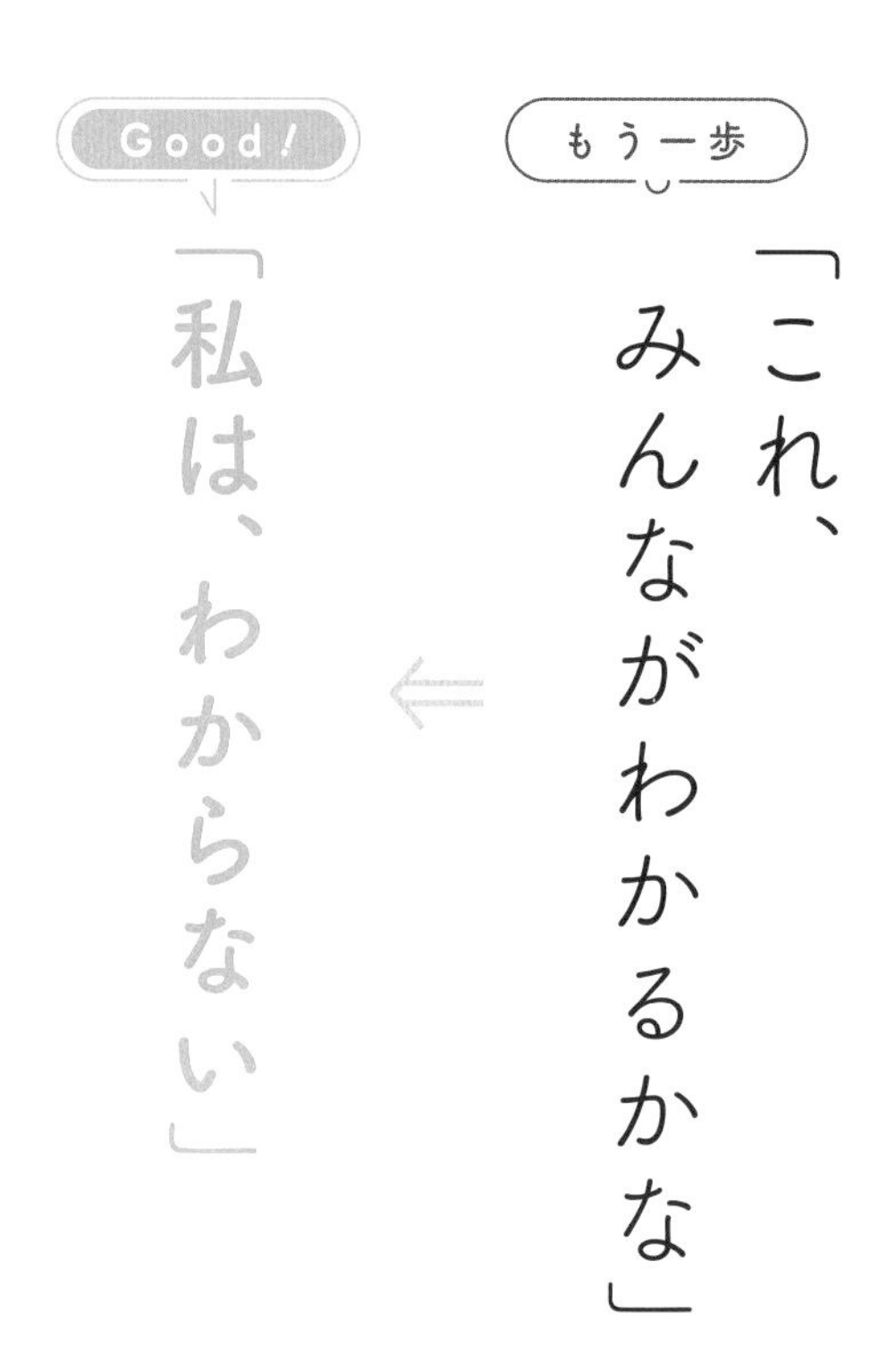

もう一歩
「これ、みんながわかるかな」
⇐
Good!
「私は、わからない」

「これ、みんながわかるかな」という言葉は、
少しずるさを感じます。
本当はわかっていないのに、
「私はわかるけどね」という意味合いになるからです。
ＣＭの企画でアニメキャラを使う時に、
「僕は知らないけど、家に帰って子どもに聞いてみる」
と言う人は信頼できます。
「子どもに聞いたら、すごい有名らしいじゃん」
と言える人は感じがいいのです。
レストランで「このお料理の食べ方を教えてください」
と言える男性はカッコいいです。
同行者の女性が食べ方を知らなくてもカバーできます。
「この人が知らないので教えてあげて」と言う男性は、
「あなたが知らないんだろう」とバレているのです。

54

総称して話す時

総称して話す時は、
「日本人は」という言い方は本でもよくあります。
私はできるだけ使わないようにしています。
「日本人は、とかく……」と言うと、
「私は違うけどね」という感じの悪さがあります。
世代論や民族論を集合で語るのは愛がありません。
人間は１人１人みんな違います。
「私も含めて、ついこういう過ちを犯しがちですよね」
と言えば、**極論を言っても感じが悪くならないのです。**

55

言い合いをしている２人に

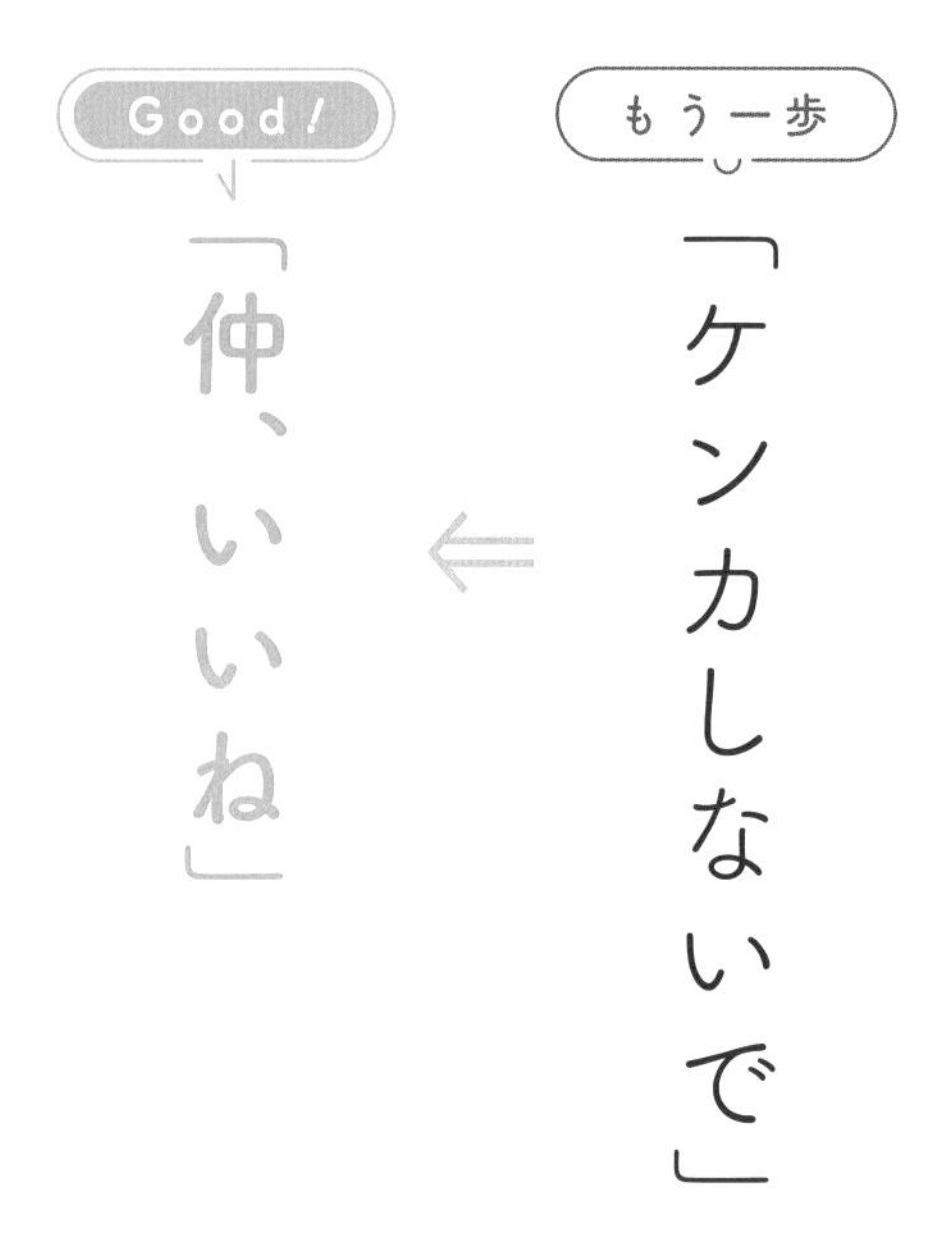

もう一歩
「ケンカしないで」
Good!
「仲、いいね」

会社の会議で2人がぶつかり合います。
家の中では子ども同士がケンカします。
レストランでも、お酒が入って言い合いになります。
それをおさめるために、
「ケンカしないで」と言ってもおさまりません。
「仲、いいな」と言うと、
突然アングルが変わってケンカがおさまります。
実際、仲がいいからケンカができるのです。
ハラハラしていたまわりの人も、
「じゃれ合っているだけなんだ」と安心できます。
「仲、いいな」のひと言で、
ネガティブをポジティブに転換できるのです。

56

悪戦苦闘している部下に

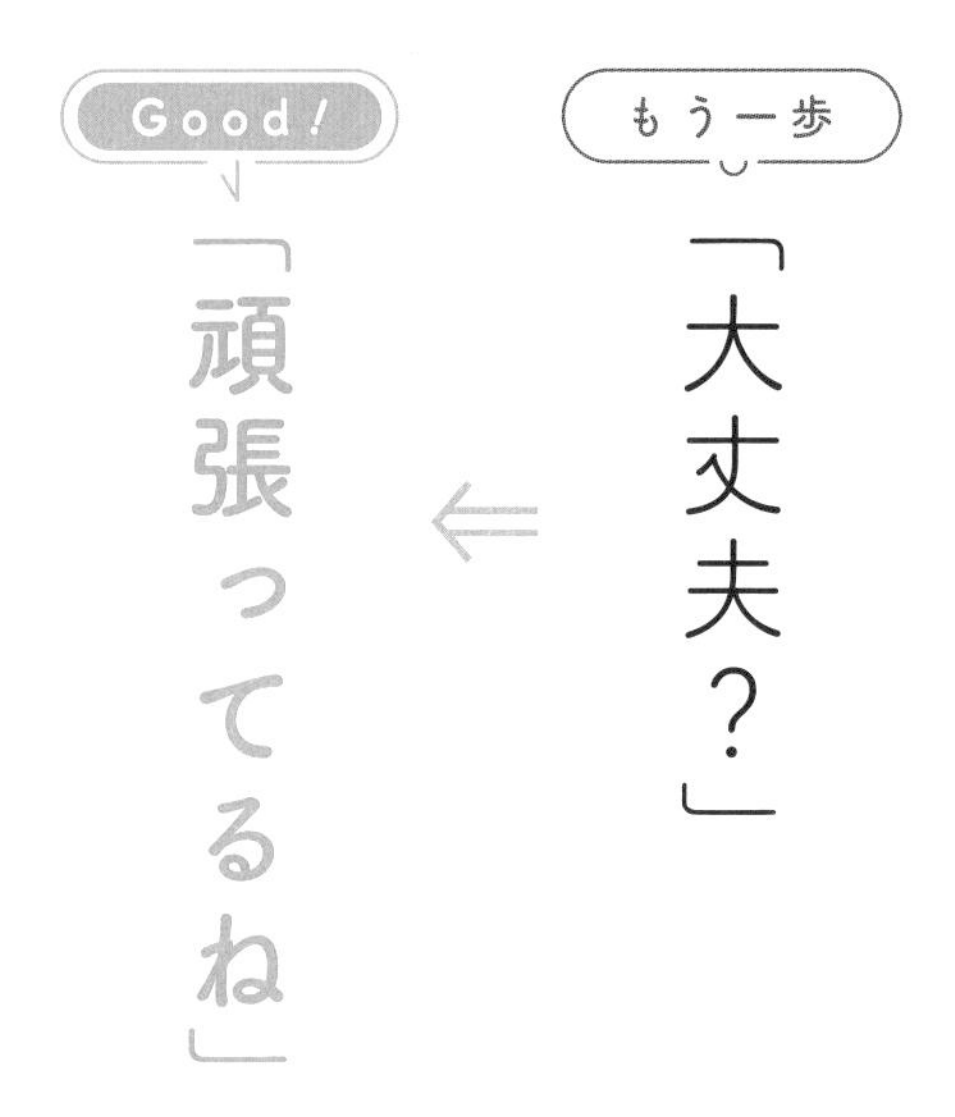

ピンチに陥っている部下に「大丈夫？」と聞いても、

「大丈夫です」

「大丈夫じゃないです」

の2通りの返事しかありません。

大切なのは、ピンチを乗り越える気持ちが湧くことです。

「頑張ってるね」と言われると、

「自分は頑張ってるのかな。もう少し頑張ろうかな」

という気持ちになります。

一番つらいのは、まわりが理解してくれないことです。

「大丈夫？」「困ったことがあったら、いつでも言って」

というのは、一見、心配しているようですが、
実際は相手と距離を置いた言葉なのです。

自分の頑張りをまわりが見てくれていると思った瞬間、
元気が湧いてくるのです。

57

出されたアイデアがいまいちな時

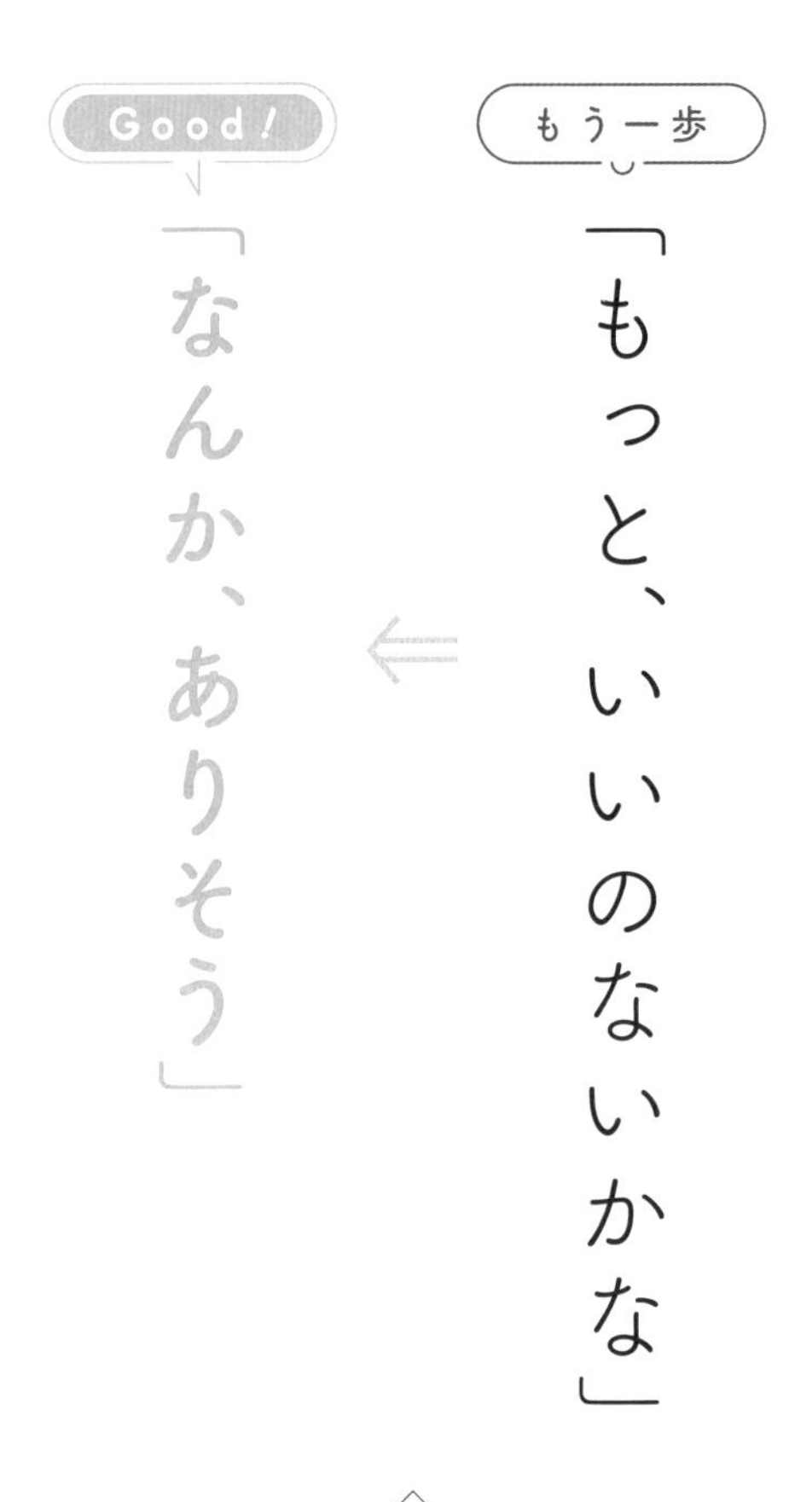

もう一歩
「もっと、いいのないかな」
Good!
「なんか、ありそう」

上司に「もっといいのないかな」と言われた瞬間、
次に出すアイデアもいまいちと言われそうな
予感がし始めます。

絶対通ると思ったアイデアがボツになると、
上司の狙いどころがわからなくなって迷うのです。

「もっといいのないかな」は、10点満点の0点です。
「なんか、ありそう」は、1点は取っています。
これで次、打っていこうという気持ちが湧いてきます。

1人でアイデアを考える時も、
「なんか、あるよね」で考えた方がいいのです。

アイデアは常に1％の破片で湧いてきます。

それをとっておけば次が出てきます。
「なんか、ありそう」は、地面からのぞく
タケノコの先を引き出していく言葉なのです。

58

部下が飛びすぎてる企画を出した時

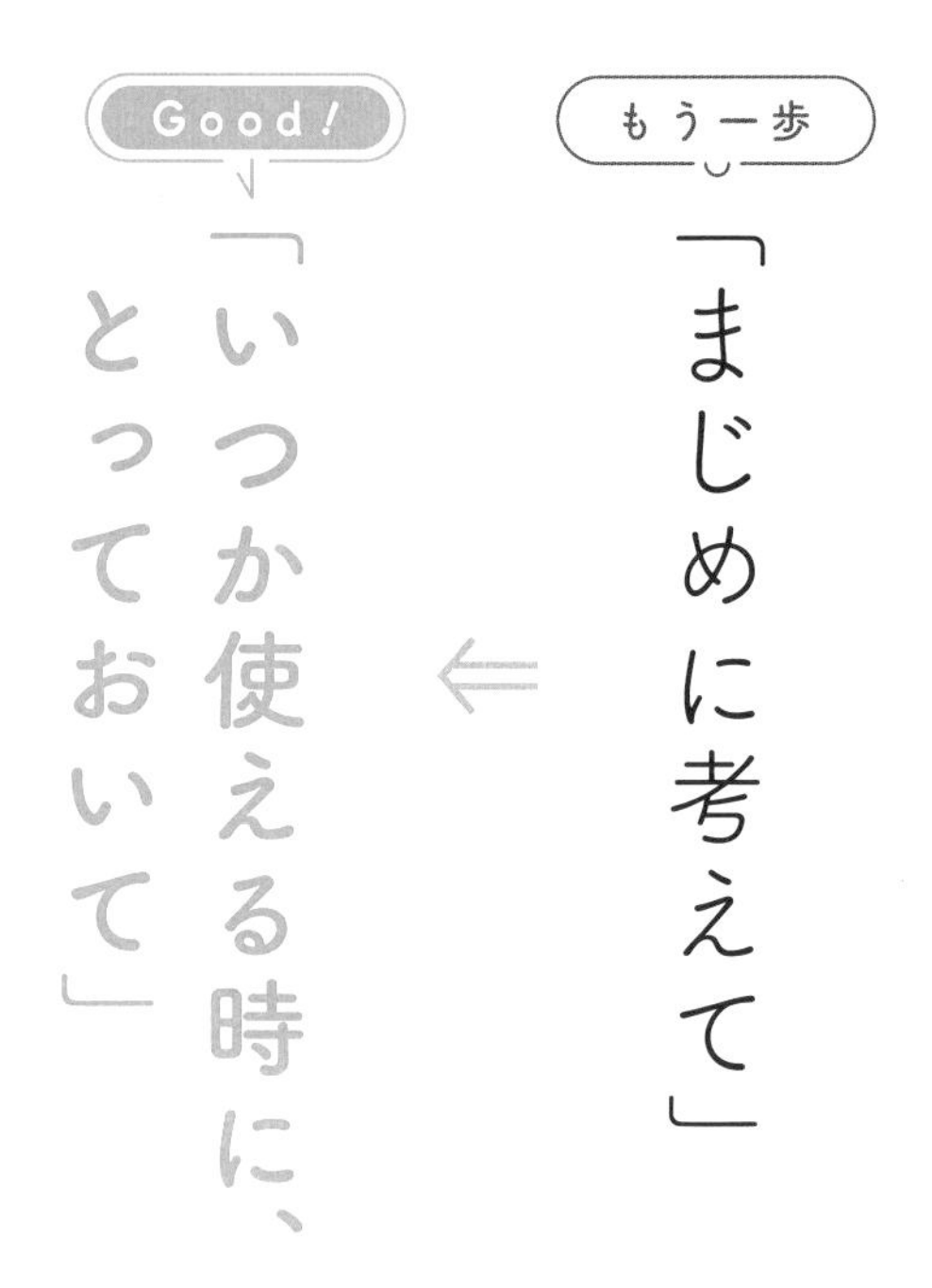

もう一歩
「まじめに考えて」
Good!
「いつか使える時に、とっておいて」

博報堂の私の師匠、天才・藤井達朗は、
どんなぶっ飛んだ企画を出してもボツとは言いません。
「いつか使える時にとっとけよ」と言ってくれました。
ダメなアイデアというものはありません。
①今使えるアイデア
②いつか使えるアイデア
の2通りがあるだけです。
オーディションに100回落ちたとしても、
それは自分に合う企画にまだ出会っていないだけです。
言葉が先か考え方が先かは、ニワトリと卵です。
考え方を変えるのは難しいです。
言葉を変えることによって、
考え方が変わることもあるのです。

chapter 7 ダメ出し方

59

部下の手書きの字を見た時

お客様への手紙・年賀状・ご記帳など、
手書きの機会は意外にあります。
編集者の赤入れも手書きです。
大切な原稿に小学生のような字が書かれていると、
「小学生か」と言いたくなります。
それをグッとこらえて「もっと丁寧に」と言います。
書かれている字の中から、読みやすい字をみつけて、
「私、この字好きだな」と1個ほめると、
ほかの字もきれいに書こうという気持ちが湧きます。
これは人間の面白い感情です。

ダメ出しは、ほめるチャンスでもあります。
1割のいいところをほめることによって、
9割のダメなところもよくなっていくのです。

60

「わかりません」と言った部下に

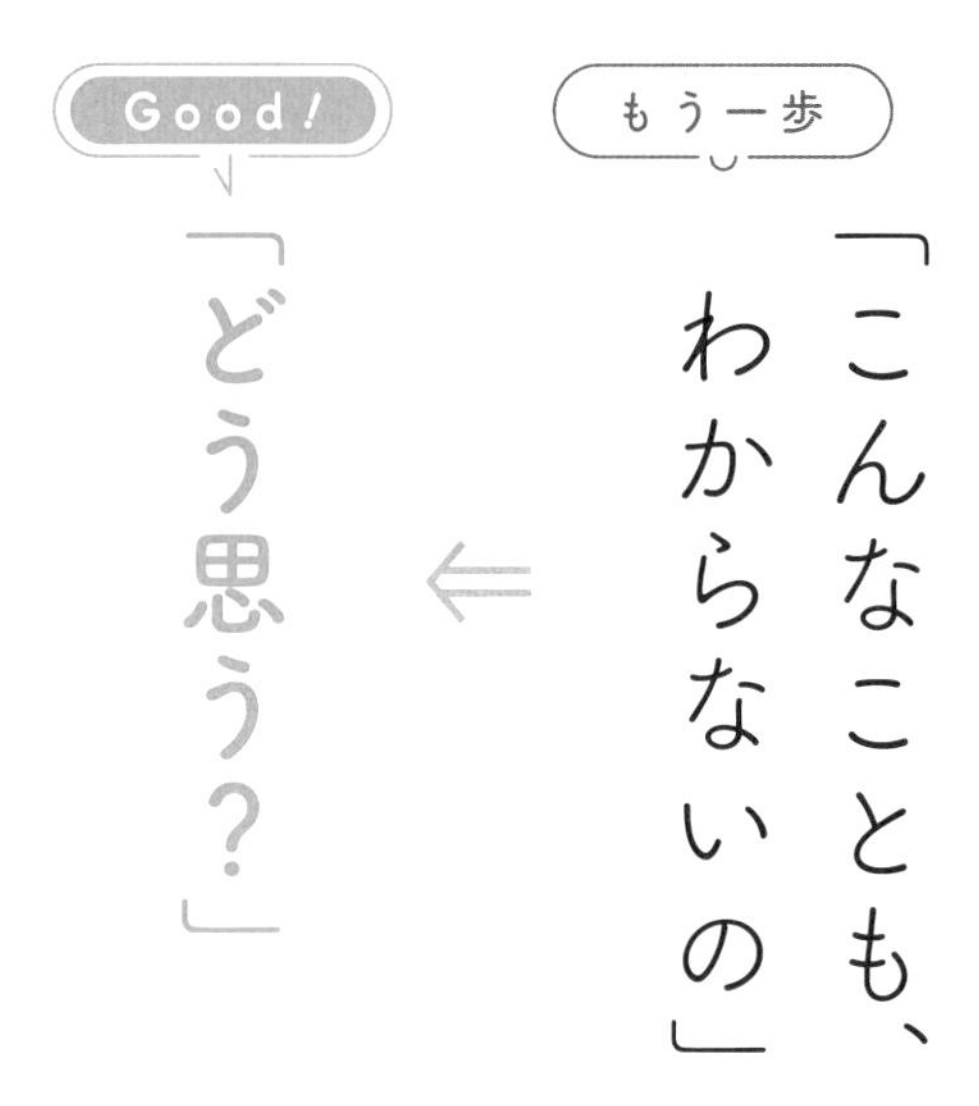

もう一歩
「こんなことも、わからないの」
Good!
「どう思う？」

誰もが知っている基本的なことを聞いた時に、
「わかりません」と言われるとせつなくさせます。
その人は知識も不足し、考える意欲もないのです
「エッ、こんなことも知らないの？」というのは、
怒っているのではなく、半ば驚きも含んでいます。
イラっとした時は相手に好感を与えるチャンスです。

ほめて好感を与えるより、
ダメ出しで好感を与える方がチャンスは大きいです。

その言葉が「どう思う？」です。
「できた？」ではなく、「どんな感じ？」、
Do you understand? ではなく、
How do you feel? です。
どう思うかに関しては間違いはないのです。

61

服を裏返しに着ていた人に

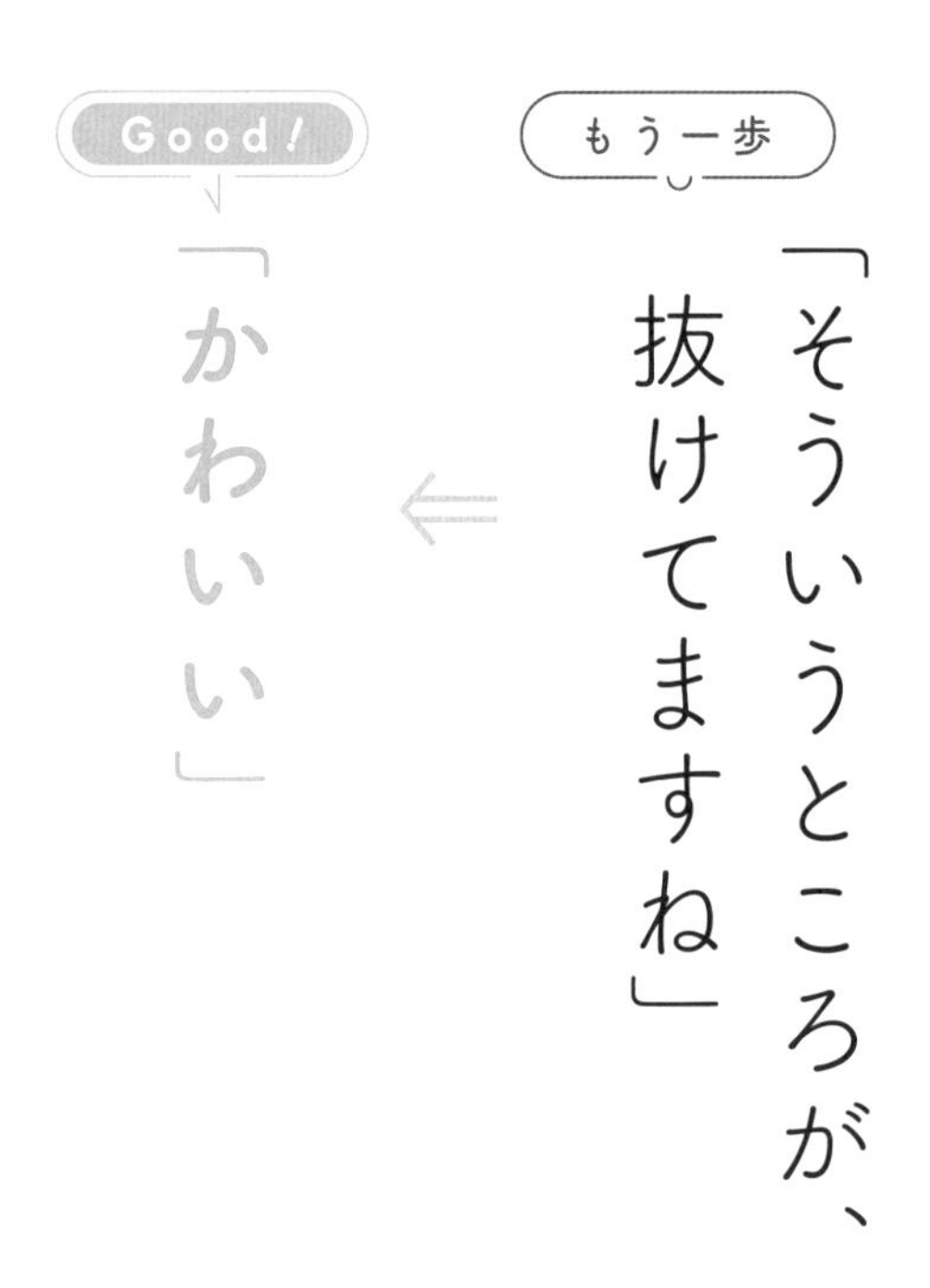

もう一歩
「そういうところが、抜けてますね」
Good!
「かわいい」

「そういうところが抜けてますね」と言うと、
9割よくて1割ダメな時でも、全ダメになります。
相手としてはショックです。
「抜けてますね」は「かわいい」と言いかえます。
「かわいい」は「カッコいい」より上のほめ言葉です。
「カッコいい」と言われて喜んでいたり、
「カッコいい」と言わなければいけない関係は、
弱い関係性です。

部下が上司に「かわいい」と言い、
上司がそれを受け入れる関係は、
チームの絆が強くなります。

1割ダメなところがあることで、
9割のカッコよさよりも、
もっと上のリスペクトが生まれるのです。

62

昔、美形だった人に会った時

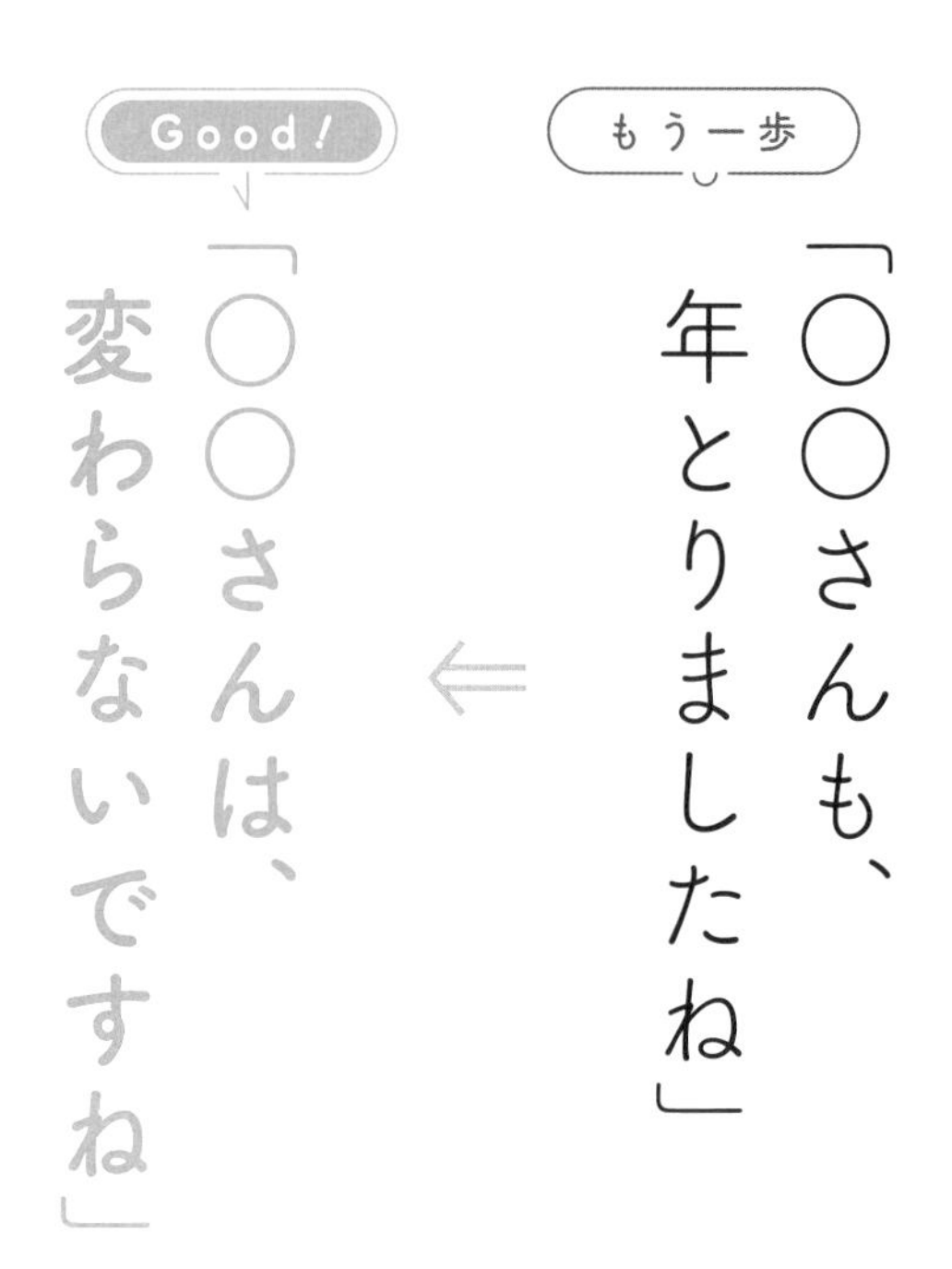

もう一歩
「〇〇さんも、年とりましたね」
Good!
「〇〇さんは、変わらないですね」

往年の美女・美男だった人とパーティーで会った時に、
「○○さんも年とりましたね」と言う人がいます。
それは自分が老けていることのコンプレックス感を
他者で代替しているのです。
それを聞いた人たちは、
自分も同じように言われているのかとドキッとします。
これは間違ったダメ出しです。
「○○さんも変わらないですね」と言うと、
自分も変わらず若くいられます。
年齢だけで、
若い・老けているという位置づけはできません。
「目の輝きが昔と全然変わらない」と言う時に、
「この人はきちんと中身を見てくれる人だ」
ということが相手に伝わるのです。

chapter 8

ほめ方

相手の心を励ます。

63

部下がいい結果を出した時に

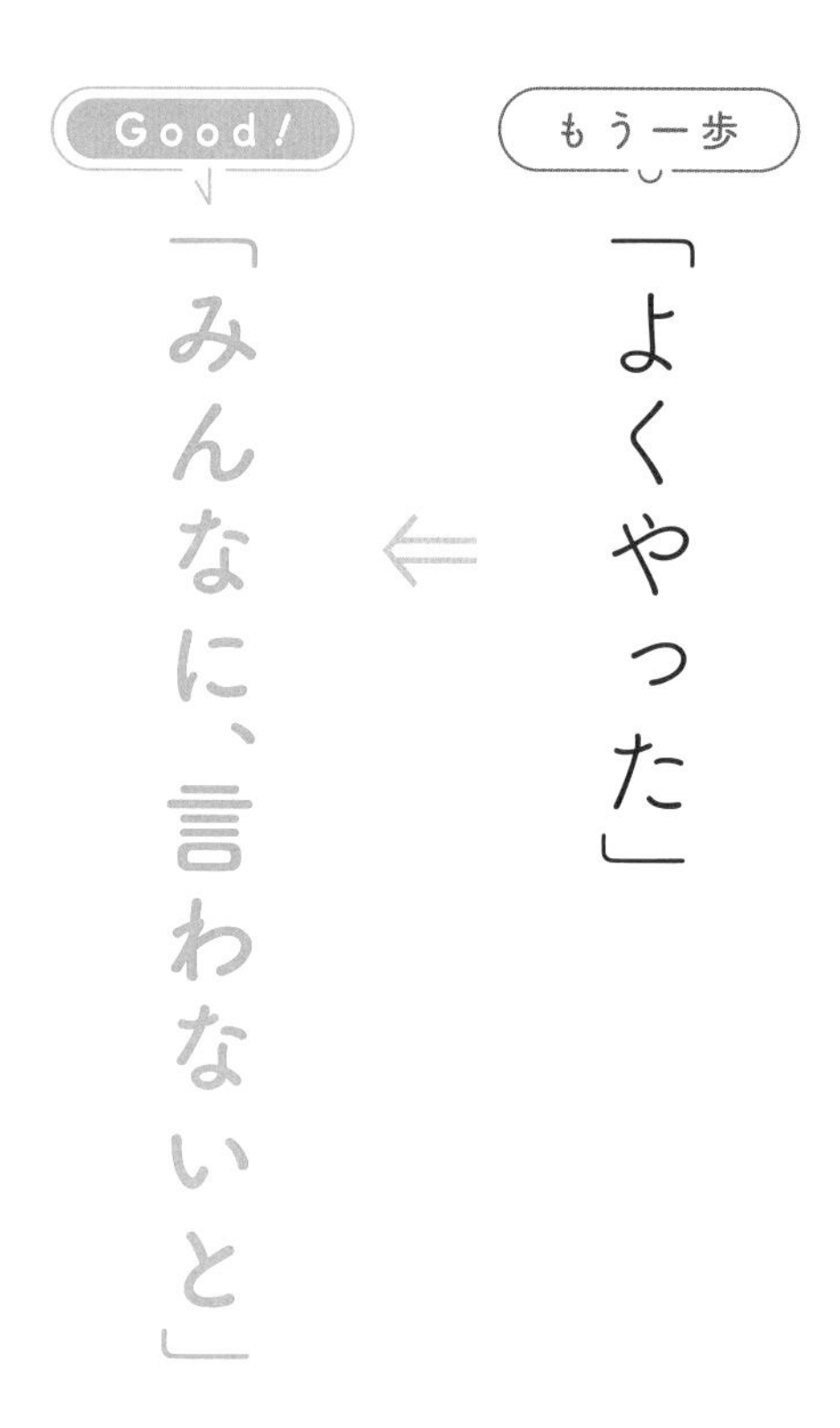

もう一歩
「よくやった」
Good!
「みんなに、言わないと」

「よくやった」と言うのは評価です。
評価をしても、ほめていることにはなりません。
上司ができていることを部下ができた時は評価をします。
上司ができていないことを部下ができた時はほめます。
「よくやった」は、
「自分はできているけどね」と、
一見、ほめているようでも見下した言い方です。
「すごい。みんなに言わないと」と言われたら、
うれしいです。
ここで「よくやった」は、いらないのです。

chapter 8 ほめ方

64

いいアイデアを出された時

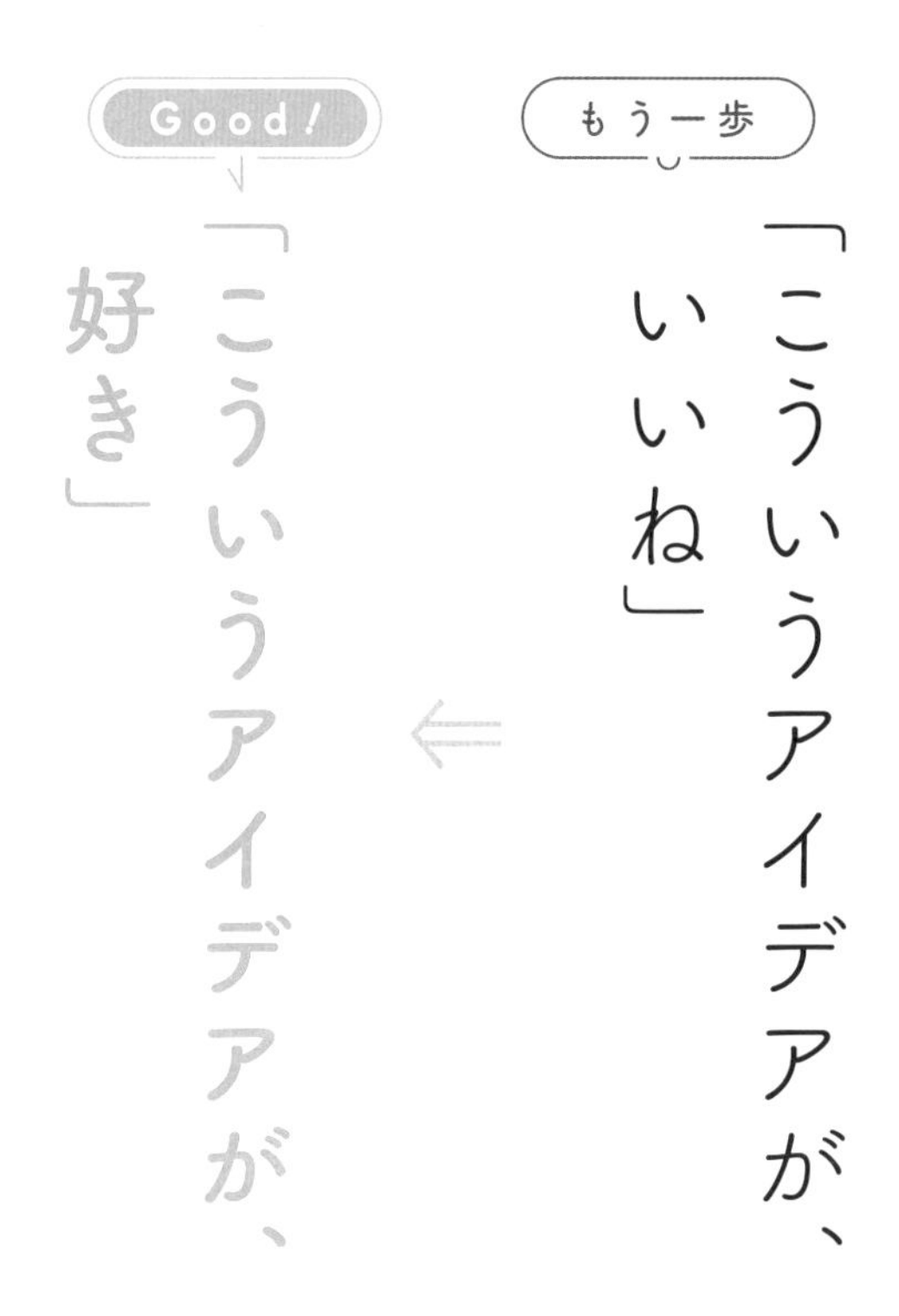

もう一歩
「こういうアイデアが、いいね」
Good!
「こういうアイデアが、好き」

「こういうアイデアが、いいね」と言うと、
「それ以外は、いまいち」ということになります。
いまいちなのは、その人の好みでないだけです。
「このアイデアはいまいちなんだよね」と言われると、
次のアイデアを出したくなくなります。
いいとか悪いとかは、よくわかりません。
それよりも好き嫌いを明確にした方がいいのです。
好みが一致した時にコラボレーションが生まれます。
これはすべての仕事で共通です。
相手の「好き」の範囲で自分の「好き」を考える形が
ベストなのです。

65

疲れた時

「疲れたあ」と言って帰ってくると、
まわりのテンションが下がります。
「頑張ったあ」と言って帰ってくると、
自分自身も充実感を感じられます。

たったひと言で、
オセロのように今日1日の意味が一変するのです。

「疲れたあ」と言う人は、
疲れた記憶だけが残って、頑張った感はゼロです。

「頑張ったね」と言われると、
「そうか、頑張ったんだな」という気持ちになり、
疲れは消えます。

仕事がうまくいっていないとか、
運気が逃げていると考え始めると、しんどくなります。
しんどくなるかならないかは、言葉ひとつなのです。

chapter 8 ほめ方

66

元気な年上の人に

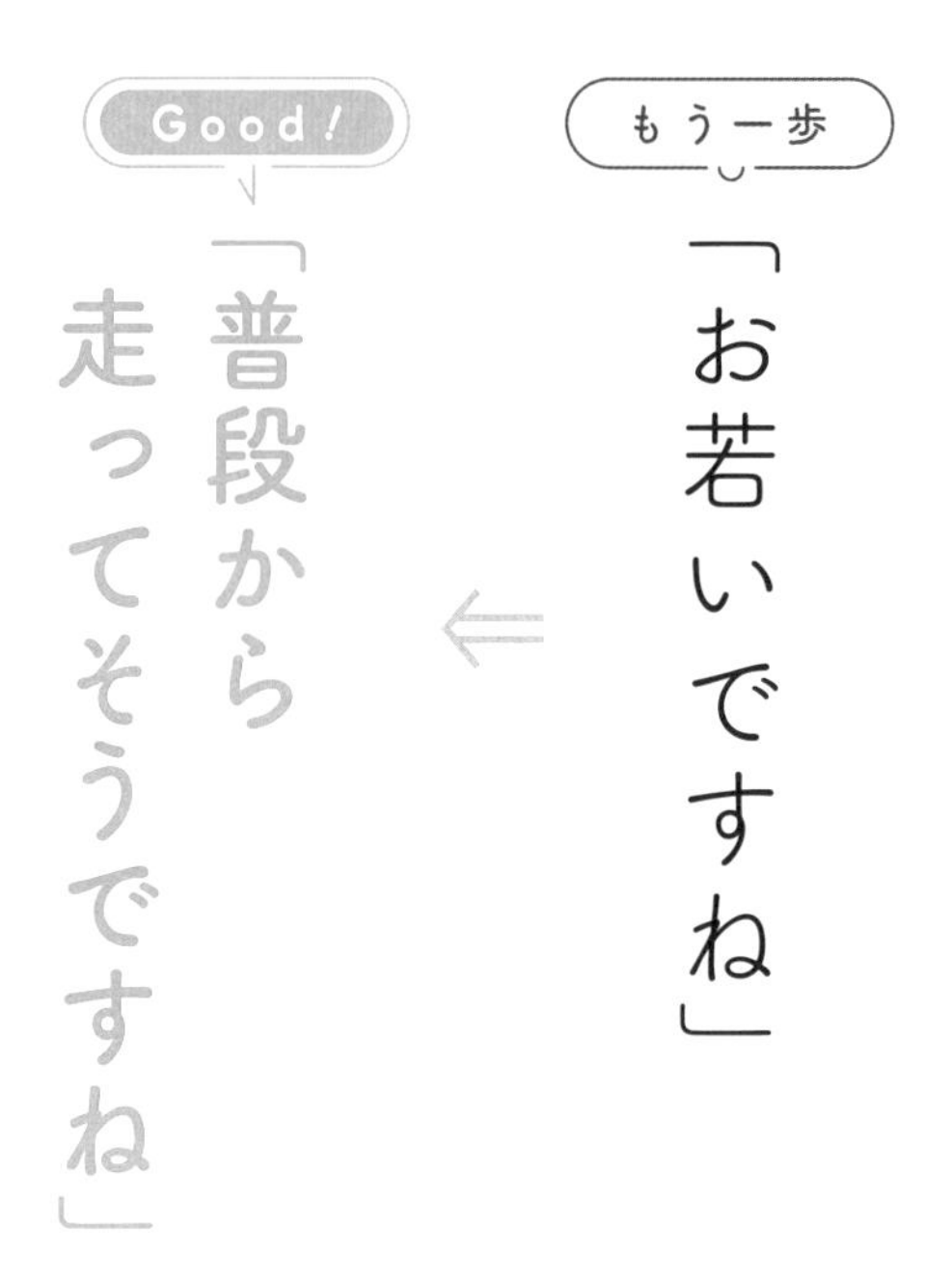

もう一歩
「お若いですね」
⇐
Good!
「普段から走ってそうですね」

年上の人に、年齢の話は、愛されません。
元気な人は、年齢を意識していません。
「お若いですね」は「年齢のわりには」と
伝わってしまいます。
「年齢不詳ですね」も、年齢にこだわった言い方です。
年齢でなく、相手の行動をリスペクトすることです。
「お若いですね」と言われても、
相手の方も、返事のしようがありません。
「普段から走ってそうですね」というと、
「ジムに通ってます」と
相手がしている運動の話に展開していくことができます。
相手の得意分野に話をパスしてく人が、
好かれるのです。

67

上司・部下が帰る時に

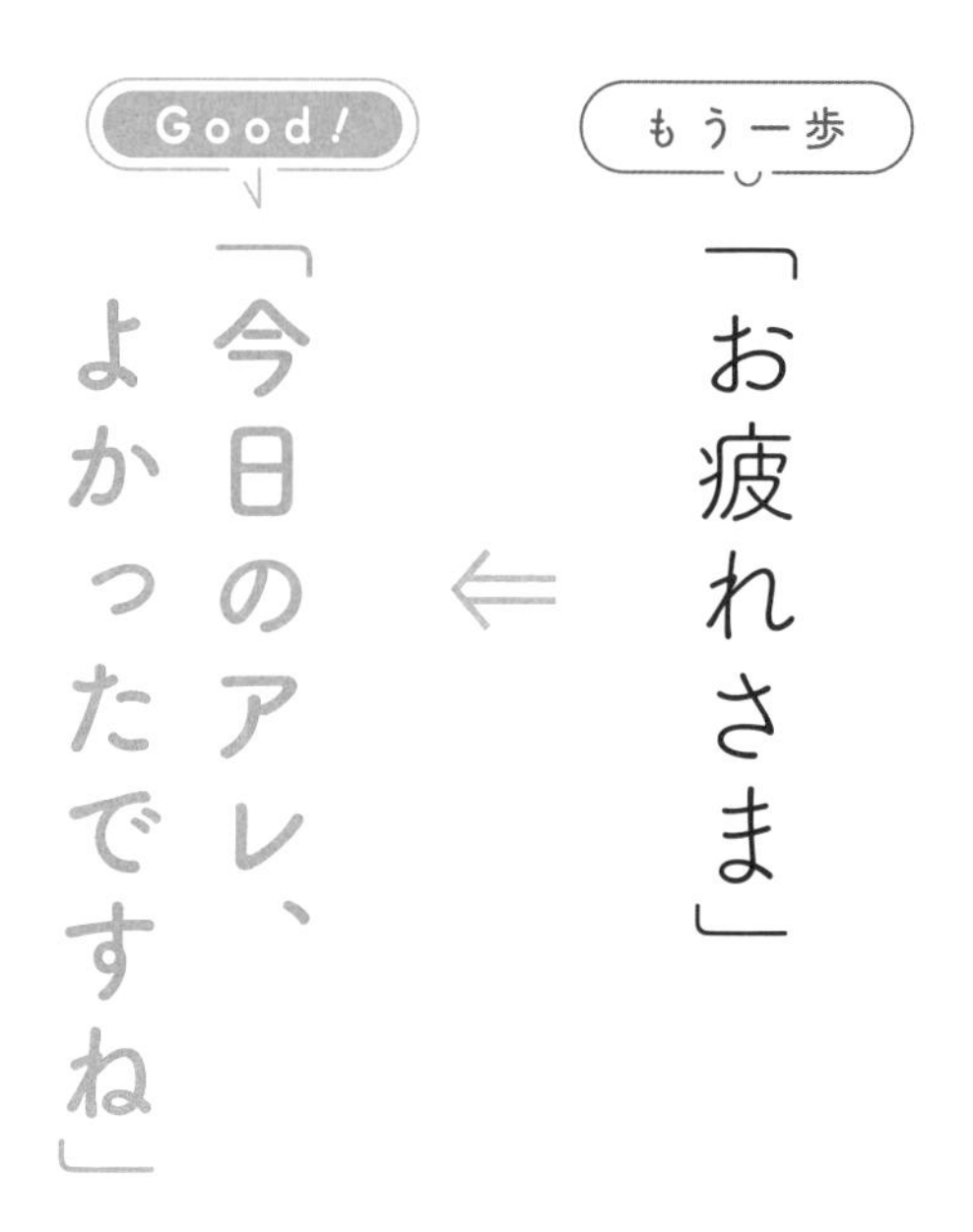

もう一歩
「お疲れさま」
⇐
Good!
「今日のアレ、よかったですね」

阪神タイガースの山崎憲晴（やまざきのりはる）二軍打撃コーチに、
練習の後、「お疲れ」よりも「今日のアレよかったね」
と声をかけたらと提案しました。
タレントのルー大柴さんはまじめな方です。
仕事が終わると、いつも今日の仕事を反省していました。
私が「今日のアレはウケましたね」と言うと、
ルーさんは「あれはどうかと思ったんだけど」
と言いながらも、ほっとしてくれます。
講演後、「今日のアレは刺さりました」と言われると、
「1個でもいいことがあってよかった」と思います。
レストランでは、「ごちそうさま」より
「今日のアレおいしかった」と言う方が喜ばれます。

1個ほめられると、
全体をほめられるよりうれしいのです。

68

部下が出かける時

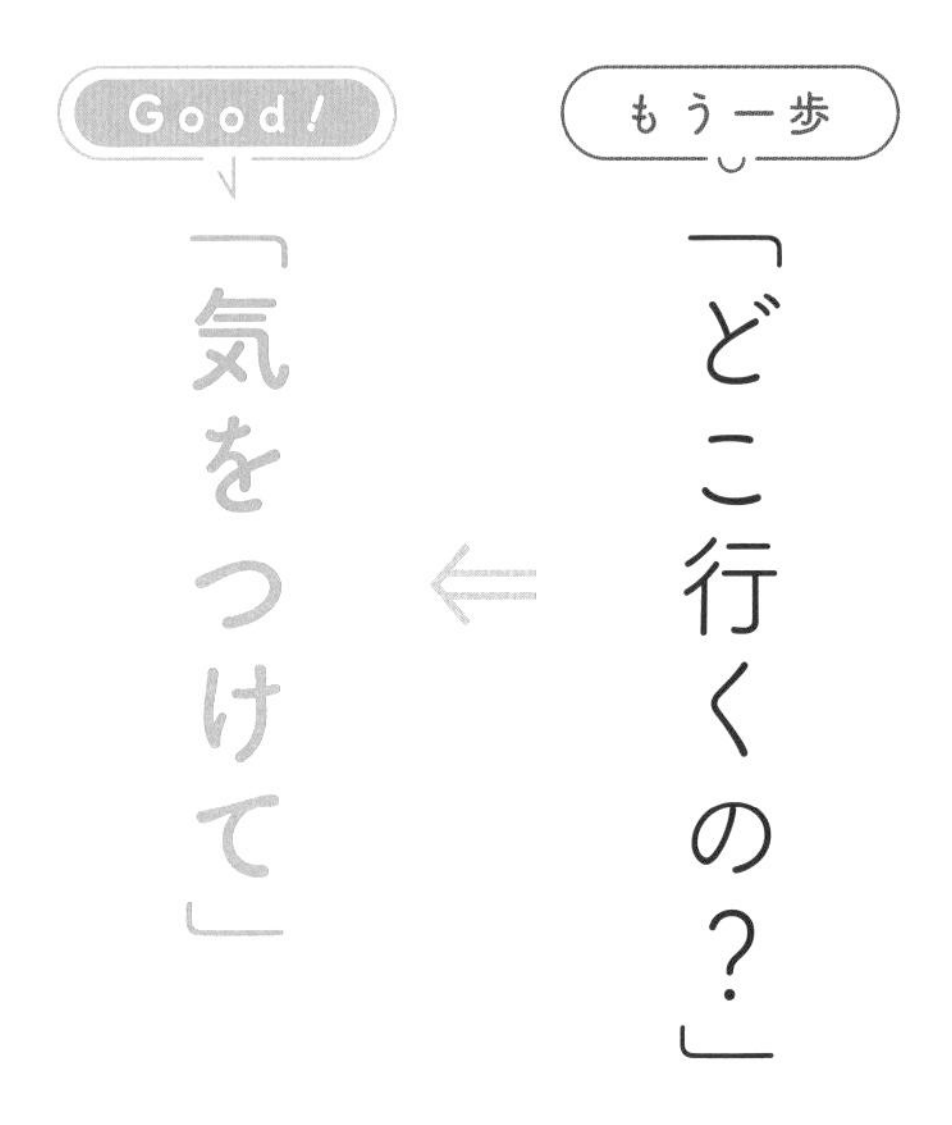

もう一歩
「どこ行くの？」
Good!
「気をつけて」

部下が出かける時、
「行ってらっしゃい」に続く言葉は、
「どこ行くの？」「誰と？」「何しに？」「何時に戻る？」
という5W1Hの質問が多いのです。
事務的なやりとりは、すべて確認です。
これは、監視です。
ここに感情はまったく入っていません。
ひと言、「気をつけてね」と言うことで、
思いやりの言葉になります。
確認・監視の言葉は、
思いやりの言葉に言いかえた方がいいのです。

69

仲間が、大切なプレゼンに行く時

「頑張れ」と言われると、
「頑張ってるんだけどな」という気持ちになります。
妙な力みが入って、よけい緊張が強くなります。
「緊張するな」と言われて、
よけい緊張するのと同じです。
脳は否定と肯定を区別できません。
脳にとって、「緊張しろ」と「緊張するな」は同じです。
アメリカで講演をした時に、
舞台袖のアルバイト君に「エンジョイ」と言われました。
日本では普通、
「それでは先生、よろしくお願いします」で入ります。
私は「なんだ、こいつ」と思いながら、
「そうか、エンジョイなんだな」と、ハッとしました。
「楽しんで」と言われるとリラックスできるのです。

70

難しいことにチャレンジして失敗した部下に

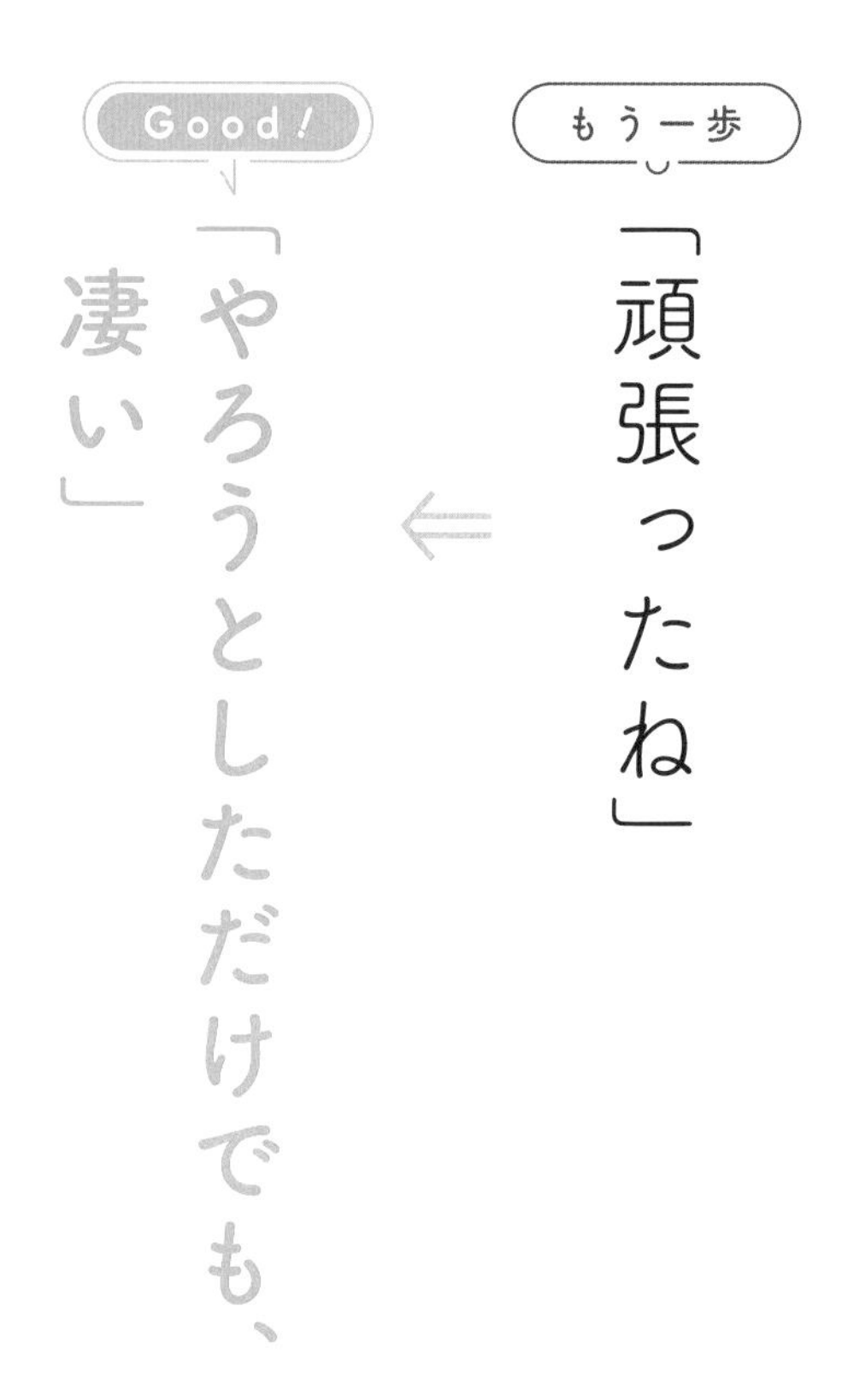

もう一歩
「頑張ったね」
Good!
「やろうとしただけでも、凄い」

難しいことにチャレンジして失敗した部下に、
「頑張ったね」というのは慰めの言葉です。
ただし、上から目線の言葉でもあります。
フルマラソンに出る人は、
フルマラソンをしようしただけでも凄いのです。
選挙に出た友達が落選した時に、
私は「これだけ票が入って頑張ったよ」ではなく、
「出るということが凄いでしょう」と言いました。

結果よりも
スタートとプロセスを評価することが大切なのです。

71

社長を目指している部下に

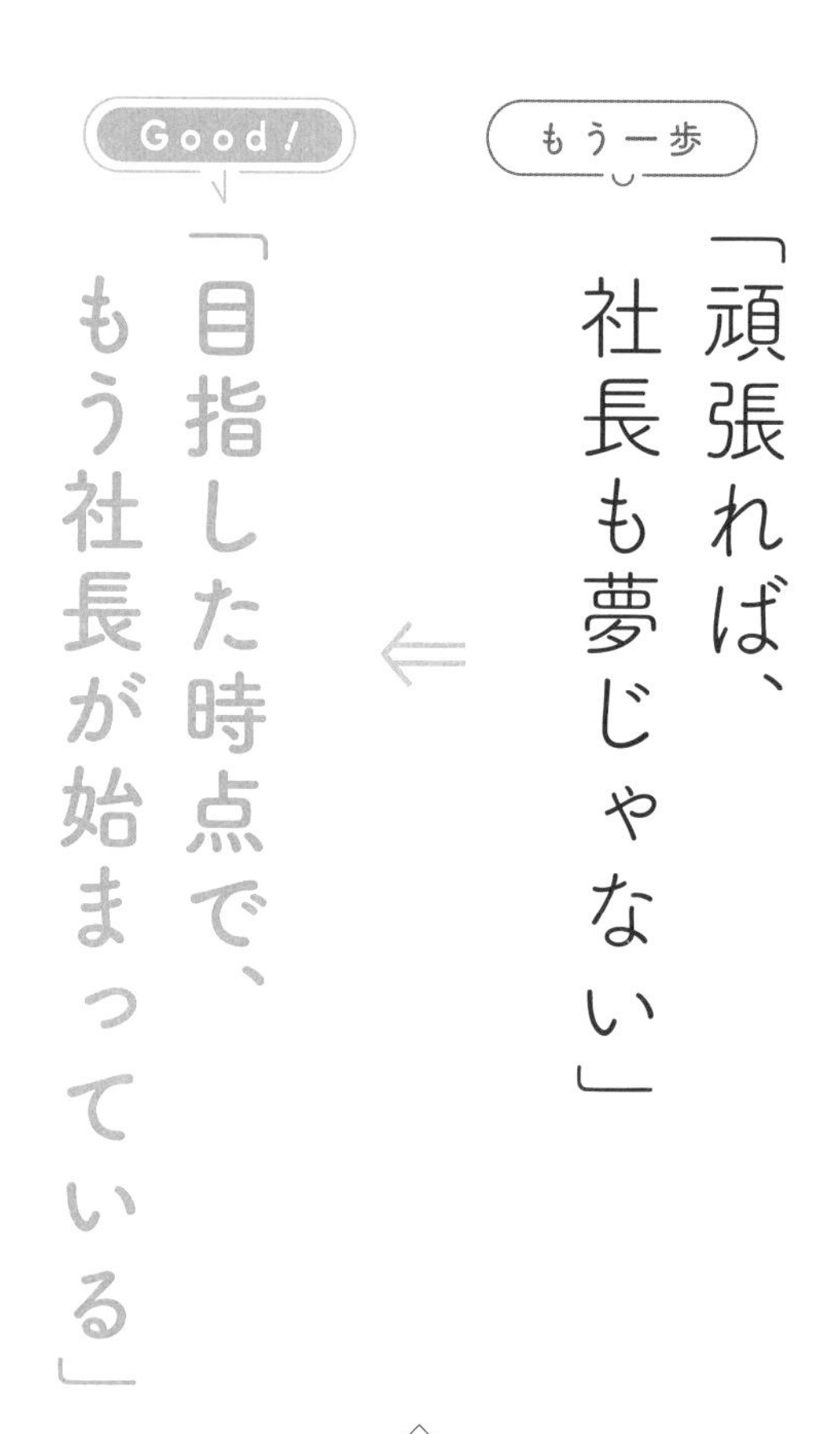

もう一歩
「頑張れば、
社長も夢じゃない」
Good!
「目指した時点で、
もう社長が始まっている」

「頑張れば社長も夢じゃない」は引き分けの言葉です。

社長を目指している時点で、
社長の階段の一番下に来ているのです。

「彼は社長を目指している男です」と紹介すると、
社長になったわけでもないのに、
いつの間にかニックネームが「社長」になるのです。

中谷塾生の山内健嗣（やまうちけんじ）くんは、市役所で働きながらホテルの総支配人を目指しています。

実際の総支配人に、
「彼は総支配人を目指している男です。
そのためにどうしたらいいか教えてやってください」と紹介しました。
これで総支配人は急に共感が湧き始めます。

紹介された側もモチベーションが湧いてくるのです。

72

料理をほめる時

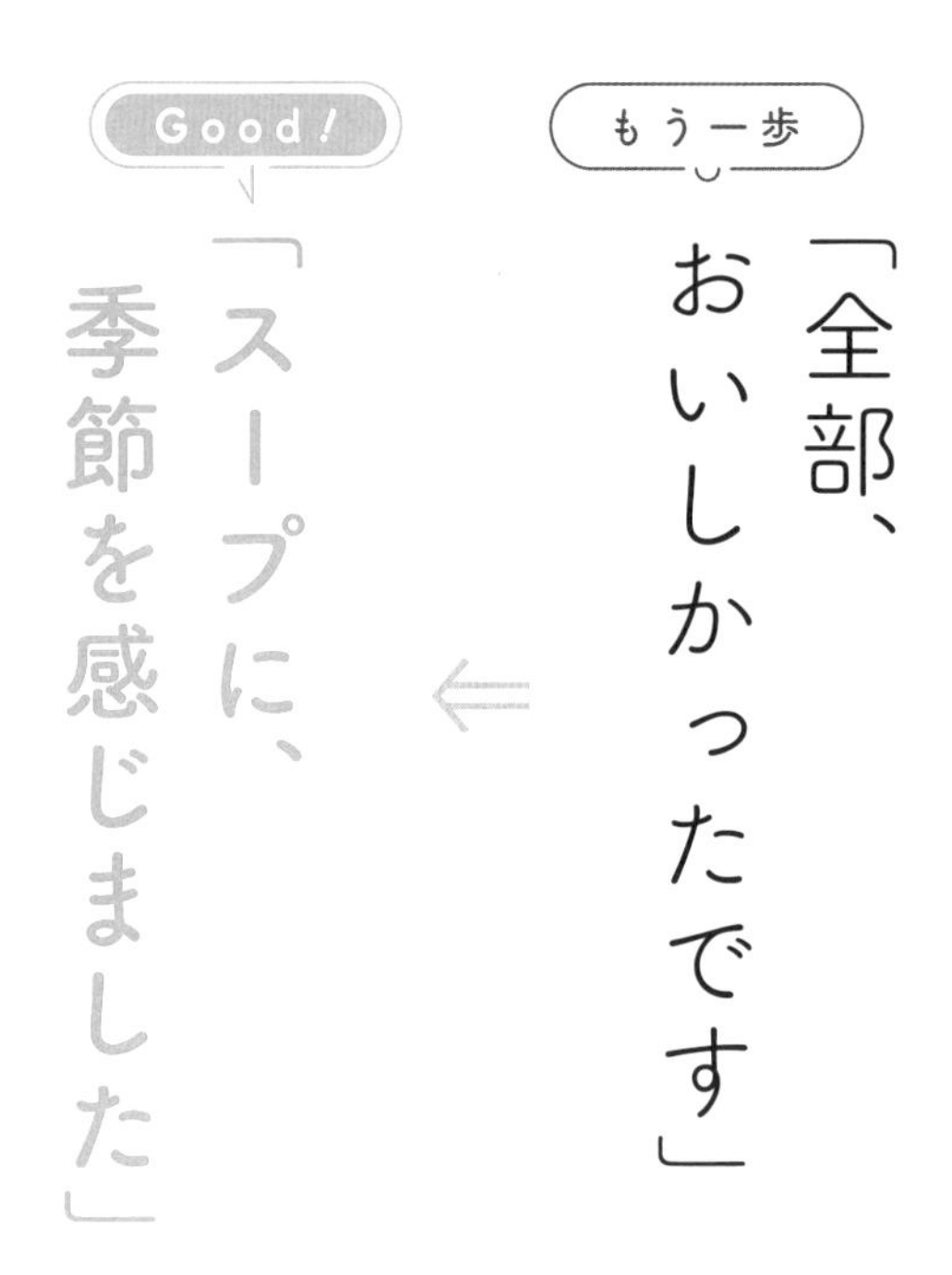

もう一歩
「全部、おいしかったです」
⇐
Good!
「スープに、季節を感じました」

作家は、これは絶対面白いと思って本を書いています。
それでもどこが面白かったかは聞きたいです。
私も友達の作家に本を送ってもらったら、
一番面白かったところベスト3をメールで送ります。
私が書いた『色気は、50歳から。』という本を読んで、
「地位や名声の前にパンツがある」というところが
面白かったというメールが届きました。
どこに書いたかなと一生懸命探すと、
あとがきの中に1行出てきました。
1カ所ほめてもらうとうれしいのです。
「全部面白かったです」と言われるのは寂しいです。
料理はデザートとメインをほめることが多いです。
シェフが一番勝負を賭けているのは、スープです。
スープに世界観と技術力と趣向が入っているのです。

73

オフィスに飾られた花を見た時

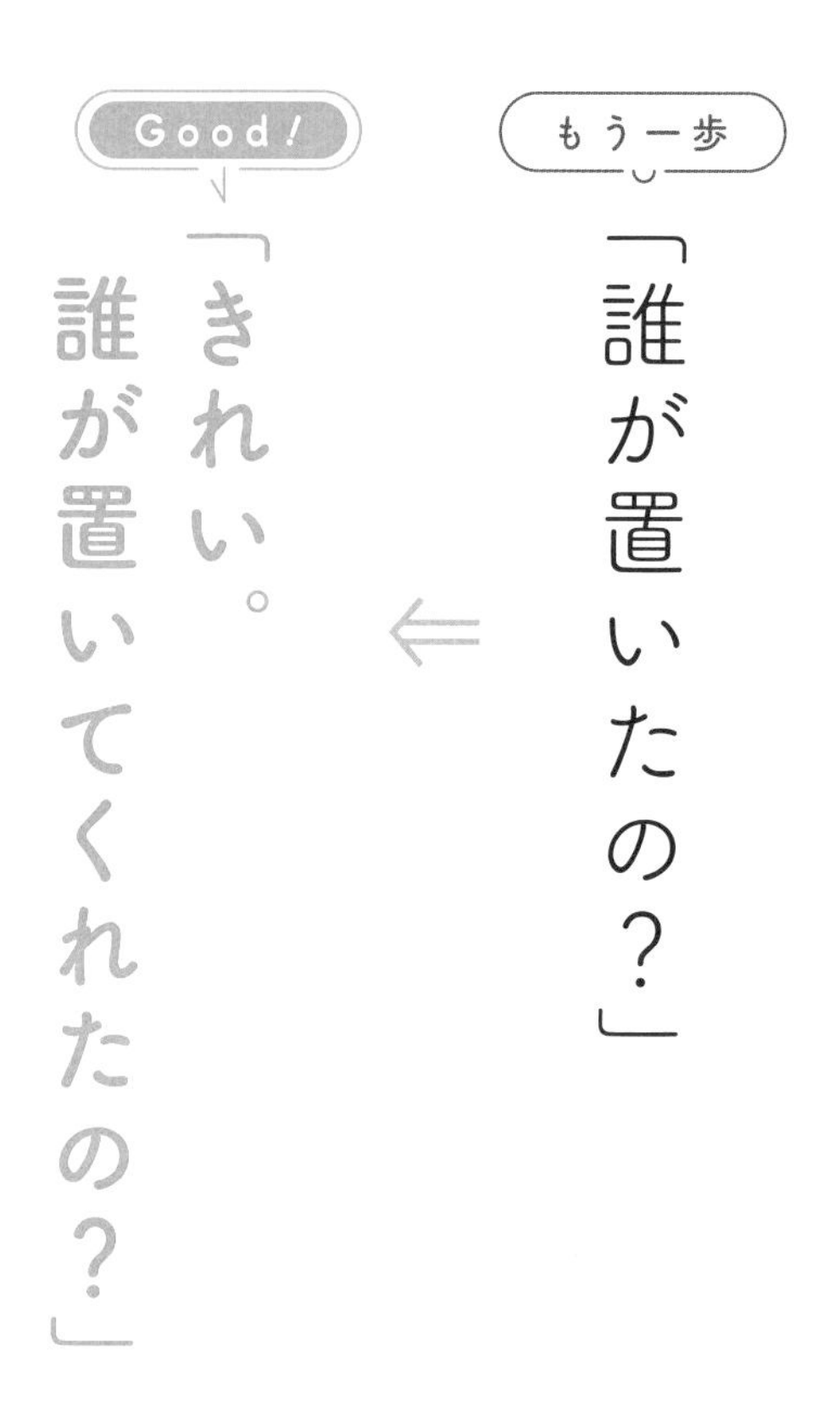

もう一歩
「誰が置いたの？」

Good!

「きれい。

誰が置いてくれたの？」

「誰が花を置いたの？」と言われると、
その後、ほめられるのか叱られるのか不安になります。
「きれい。誰が置いてくれたの？」と言われると、
ほめてくれるとわかります。
これはレストランでもあります。
「責任者呼んで」「名前なんていうの」と言われると、
スタッフは「クレームかも」とドキドキします。
「君のサービス凄いね。ちょっと責任者呼んで」
「君のサービス凄いな。名前なんていうの？」
と言われたら、ほめられることがわかって安心です。
ほめる時は言う順番が大切なのです。

74

資格試験に落ちた人に

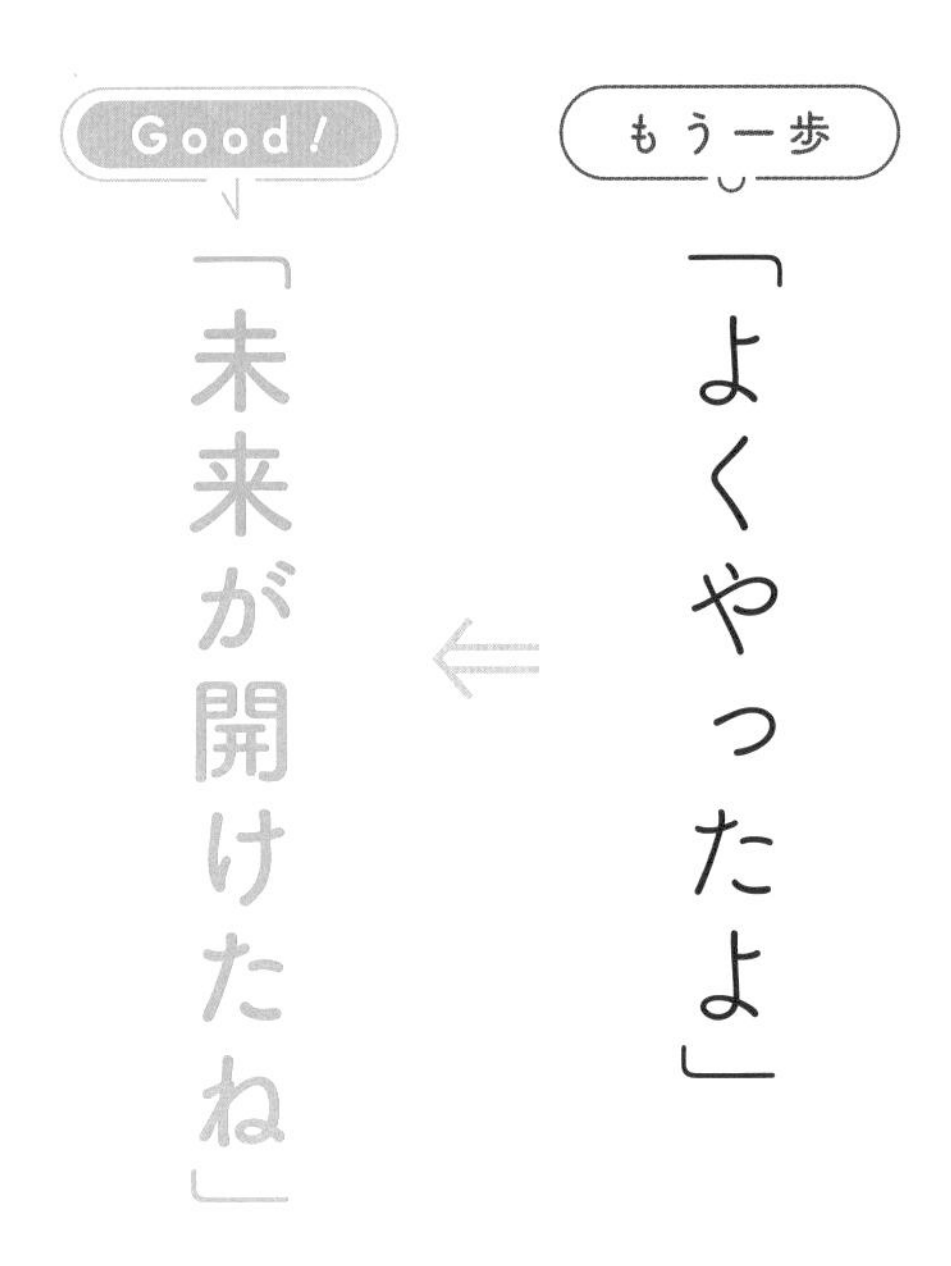
もう一歩
「よくやったよ」
Good!
「未来が開けたね」

試験に落ちた人は、未来が閉じたと思いこんでいます。
慰める言葉は、存在しません。
慰めるほど、自分は慰められる存在なんだと
余計、落ち込みます。
慰めるのではなく、希望を与えることです。
落ちたことで、やるべきことが見つかったのです。
伸び代が見つかったのです。
希望とは、未来の価値を見つけることです。
「よくやったよ」は、過去の価値です。
「未来が開けた」のは、未来の価値です。
言い方も、大事です。
慰め口調ではなく、明るい口調でいいましょう。

75

相手が意外な事を知っていた時

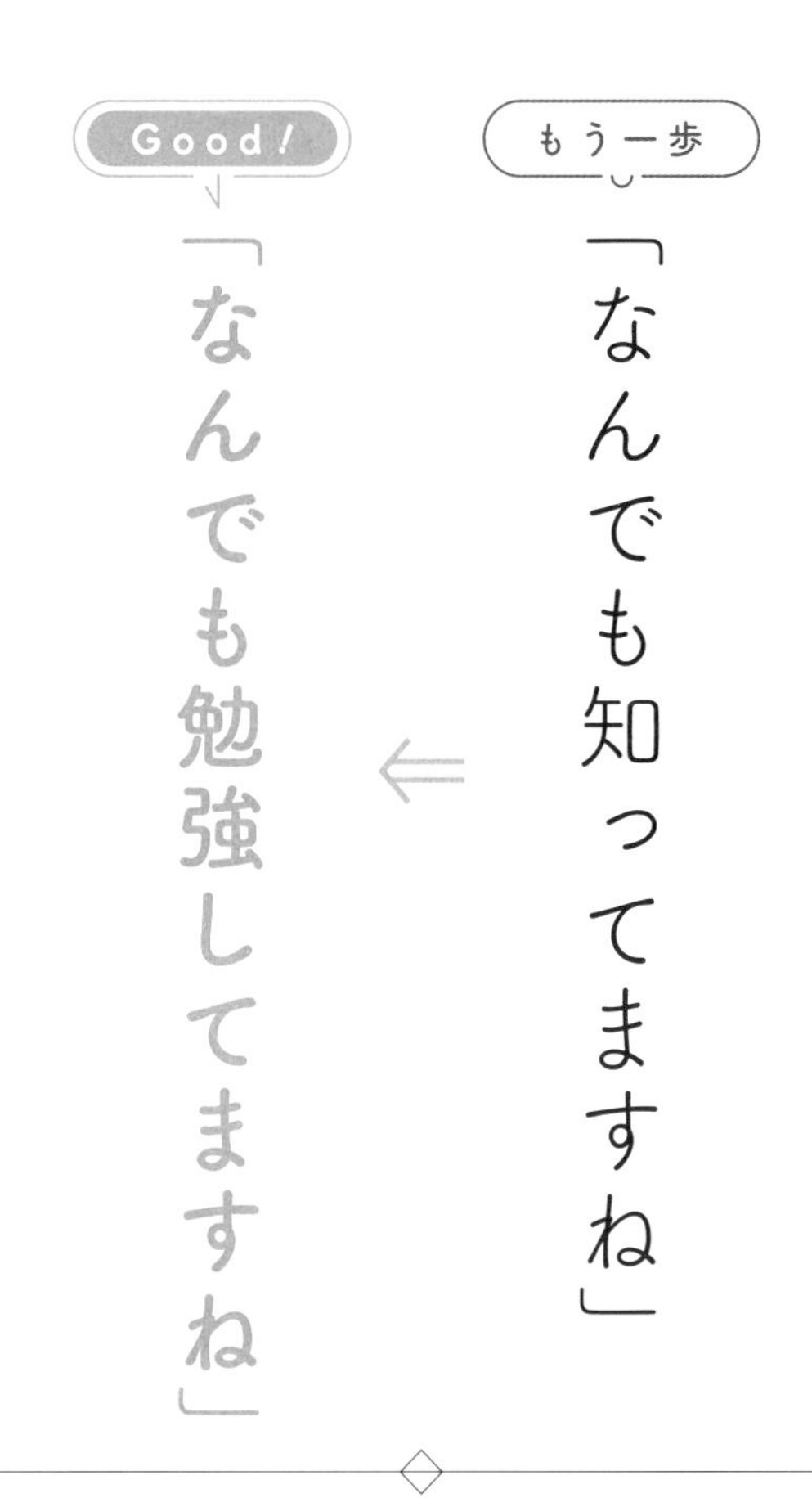

「なんでも知ってますね」というほめ方は、
「そんなこと知るヒマがあったら、ちゃんと仕事してね」
というニュアンスになります。
ミスインターナショナルでお手伝いさせていただいている
エステのミス・パリの下村朱美（しもむらあけみ）会長は、
「先生はよく勉強してるわね」とほめてくれます。
「なんでも知っている」ではなく、
勉強していることをほめるのです。
「なんでも知っている」は、
勉強していることを評価していません。
結果ではなく、プロセスをほめることが大切なのです。

76

ほめようとした事を、先に言われたら

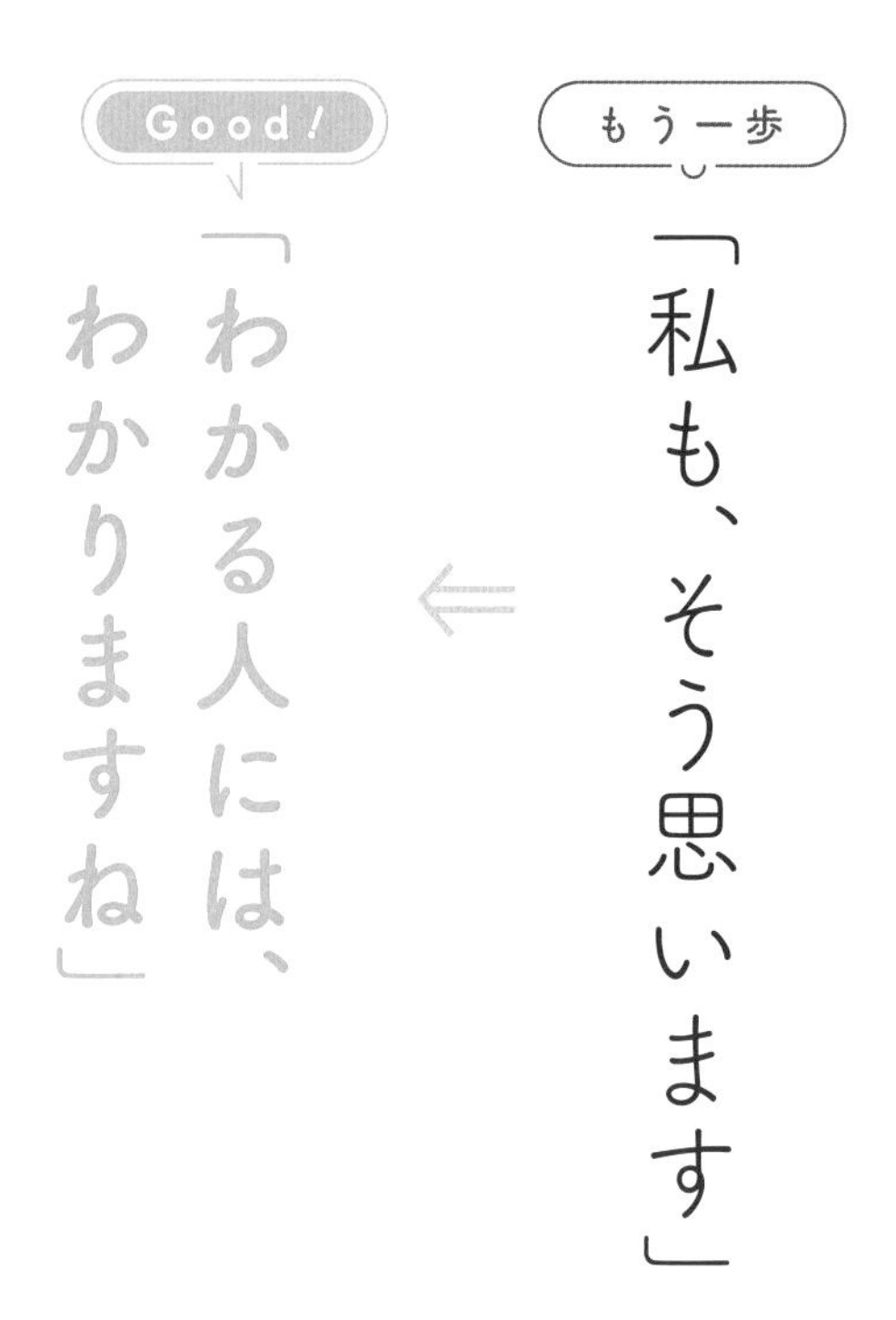

もう一歩
「私も、そう思います」
Good!
「わかる人には、わかりますね」

「私もそう思います」と言うと、
突然、ホームルームの
「〇〇さんと同じです」という意見を言っているようで
つまらなくなります。
これのマイナスは、
「自分で発見しない人が誰かに乗っかっただけ」という
イメージになることです。
もう1つは、かぶることで最初に意見を言った人の
オリジナリティーが消えてしまうのです。
「わかる人には、わかりますね」と言うと、
ほめられている人とほめている人を
両方ほめることができるのです。

chapter 8 ほめ方

77

素敵な人に

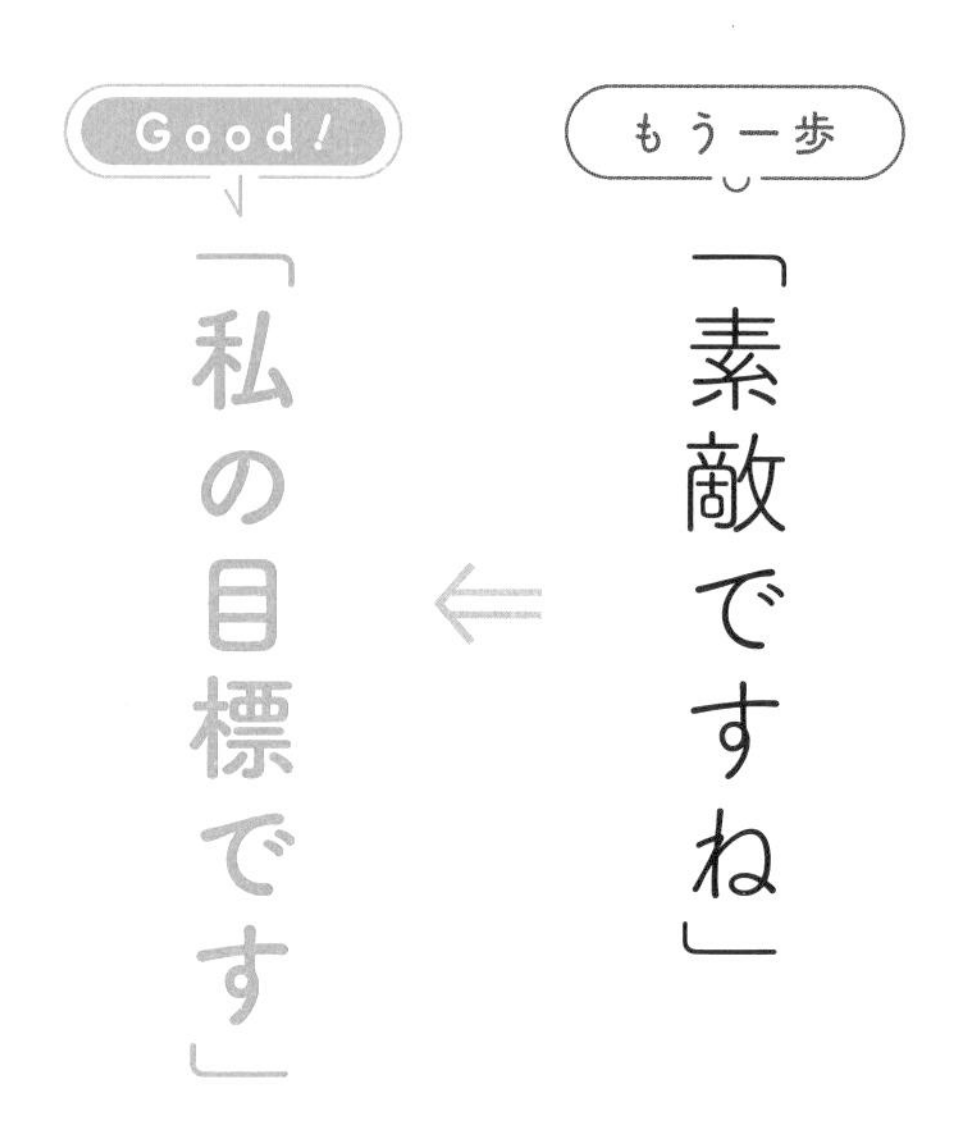

もう一歩
「素敵ですね」
Good!
「私の目標です」

素敵な人は
「素敵ですね」を言われるのに慣れています。
大勢の人に言われています。
「素敵な人ですね」は、返事の仕方が難しいです。
「私の目標です」と言えば、
ほかのところでも言っているんだなとわかります。
部下や目下の人から「目標」と言ってもらうと、
うれしいのです。
目上の人から「目標」と言ってもらうと、
なおさらうれしいのです。

78

部下を紹介する時

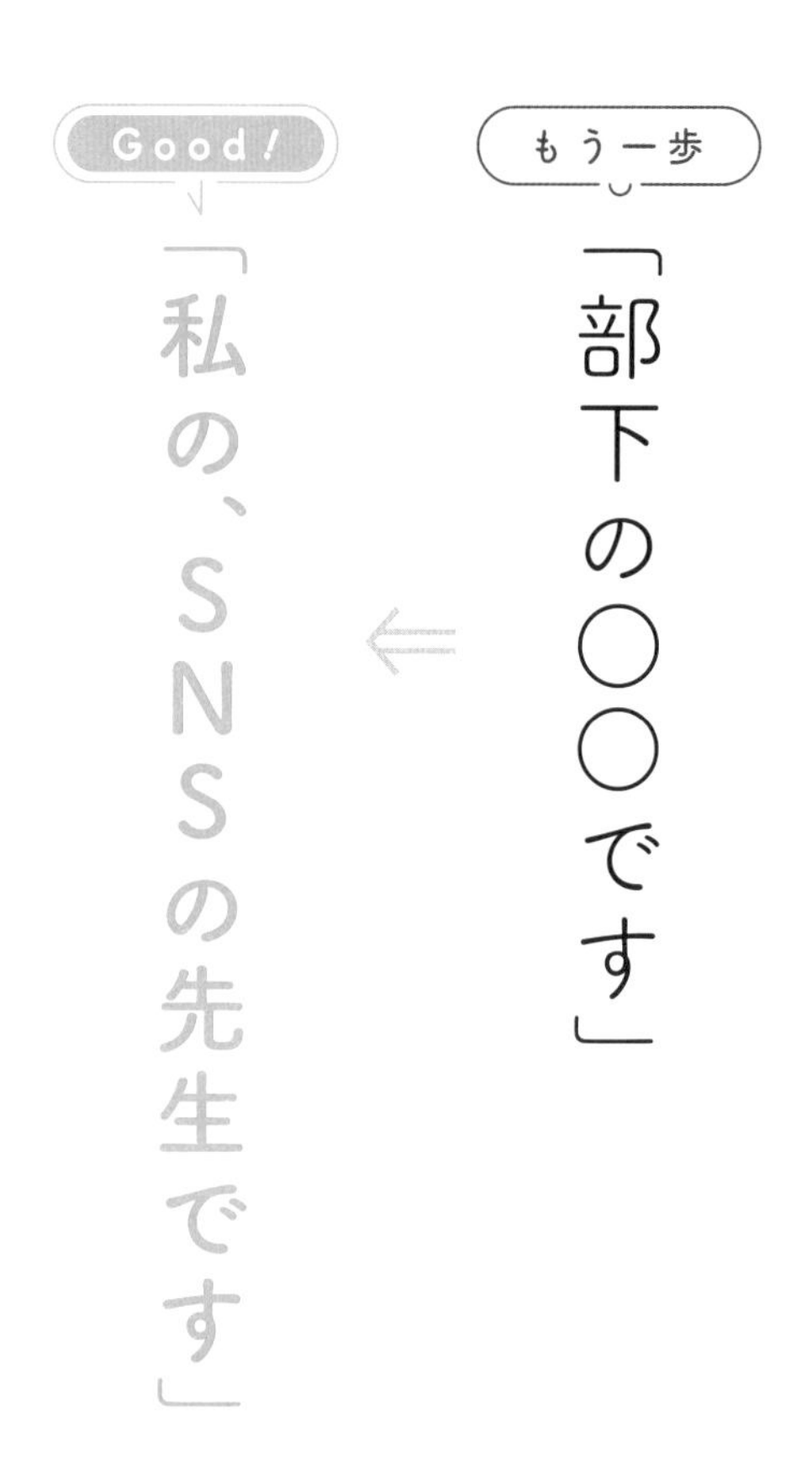
もう一歩
「部下の○○です」
Good!
「私の、SNSの先生です」

部下を紹介する時に、
「新人でまだ何もできないので教えてあげてください」
と言い方が通用するのは銀座のクラブだけです。
クラブは新人に価値があります。
教えてあげたいという気持ちになるからです。
通常の仕事では、
「私はできるけど」と自分を持ち上げているように
聞こえて感じが悪くなります。
部下を「私のＳＮＳの先生です」と紹介すると、
部下の株も上がるし、
言った上司も「謙虚でいいな」と株が上がります。
どんな人でも何かの先生です。
ここで一番うれしいのは部下です。
上司が自分をそんなふうに見ていたとわかるからです。

chapter 9

聞き方

心を開いてくれる。

79

お客さんの層を聞く時

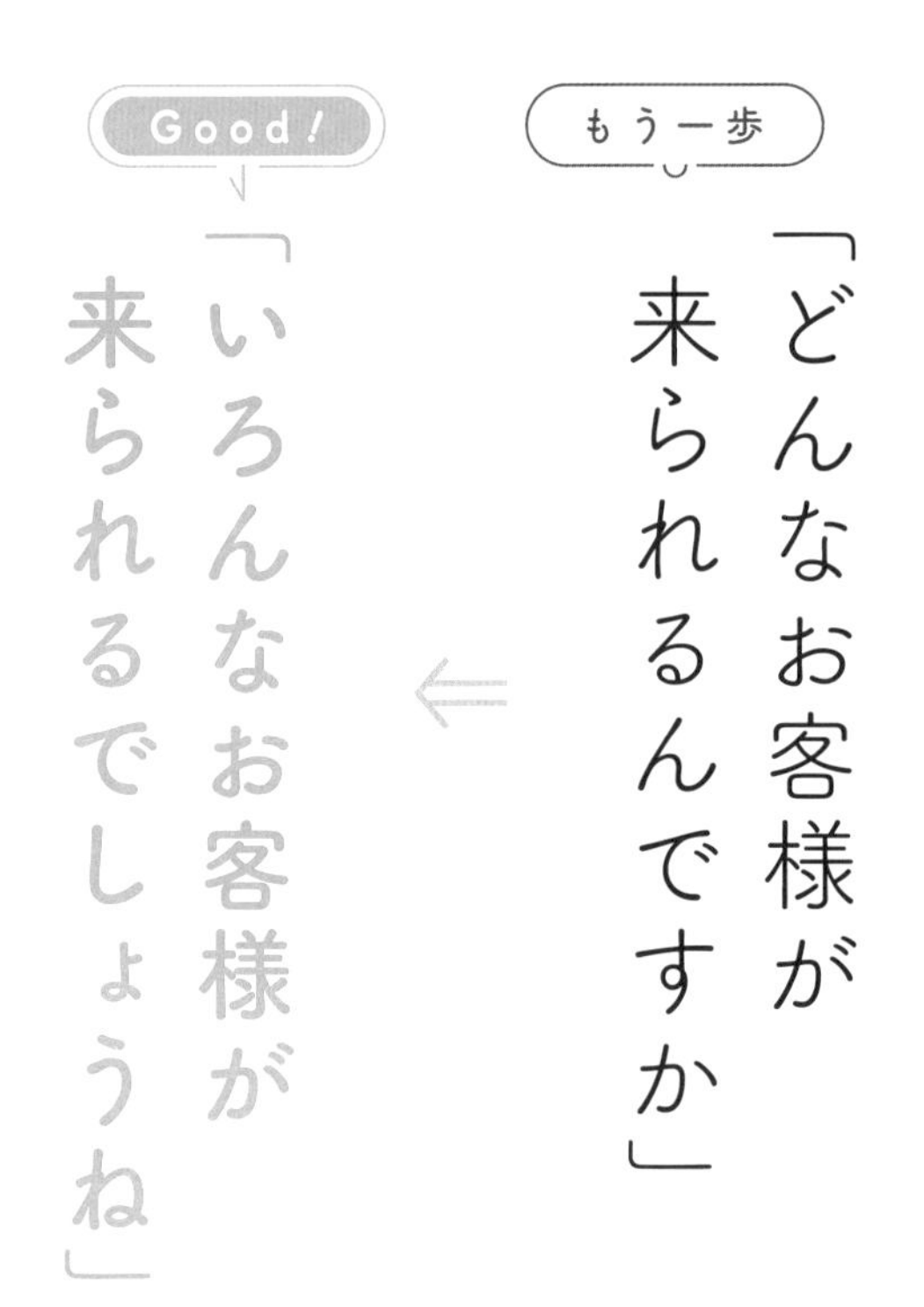

もう一歩
「どんなお客様が来られるんですか」
Good!
「いろんなお客様が来られるでしょうね」

「どんなお客様が来られるんですか」と聞いても、
答えられません。
それはプライベートな個人情報だからです。
「いったい何を知りたいの」と不信感も持たれます。
「いろんなお客様が来られるでしょうね」と言うと、
「たとえば、こんな人がいる」
「こういう面白い人がいる」
「主にこういう人が多いですね」というふうに、
話が広がるのです。
会話を、展開できる人が、好かれます。
会話を展開するには、相手が答えやすい言葉をパスすることです。
答えにくく言葉をパスすると、会話が止まってしまいます。

80

趣味を聞く時

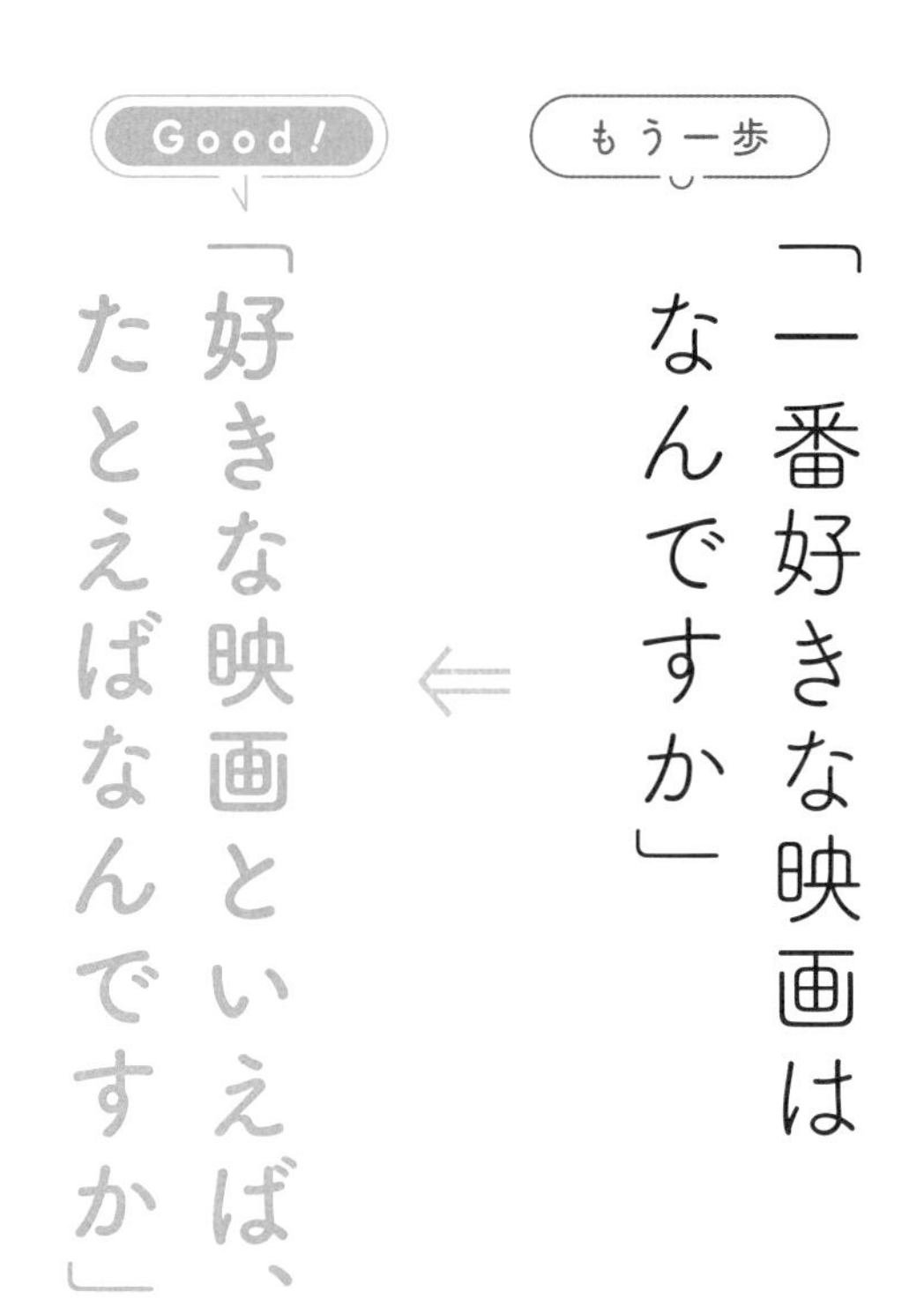

もう一歩
「一番好きな映画はなんですか」
Good!
「好きな映画といえば、たとえばなんですか」

「一番好きな映画はなんですか」と聞かれると、
頭には浮かんでも、本当にこれが一番かなと悩みます。
好きなジャンルで一番を決めるのは難しいのです。
「どこのホテルが一番いいですか」も、
「じっくり考えさせて」となり、
ここでの会話が成り立たないのです。
「最近面白い映画は、たとえばなんですか」
「好きな映画は、たとえばなんですか」
と聞かれれば、ポンと浮かんだものを口に出せます。
「一番大切なことはなんですか」という質問は、
相手を考え込ませてマイナスなのです。
1個出すと、「あれも面白かった」「これも面白かった」
と、会話が転がっていくのです。

81

お客様に初めてかどうかを確認する時

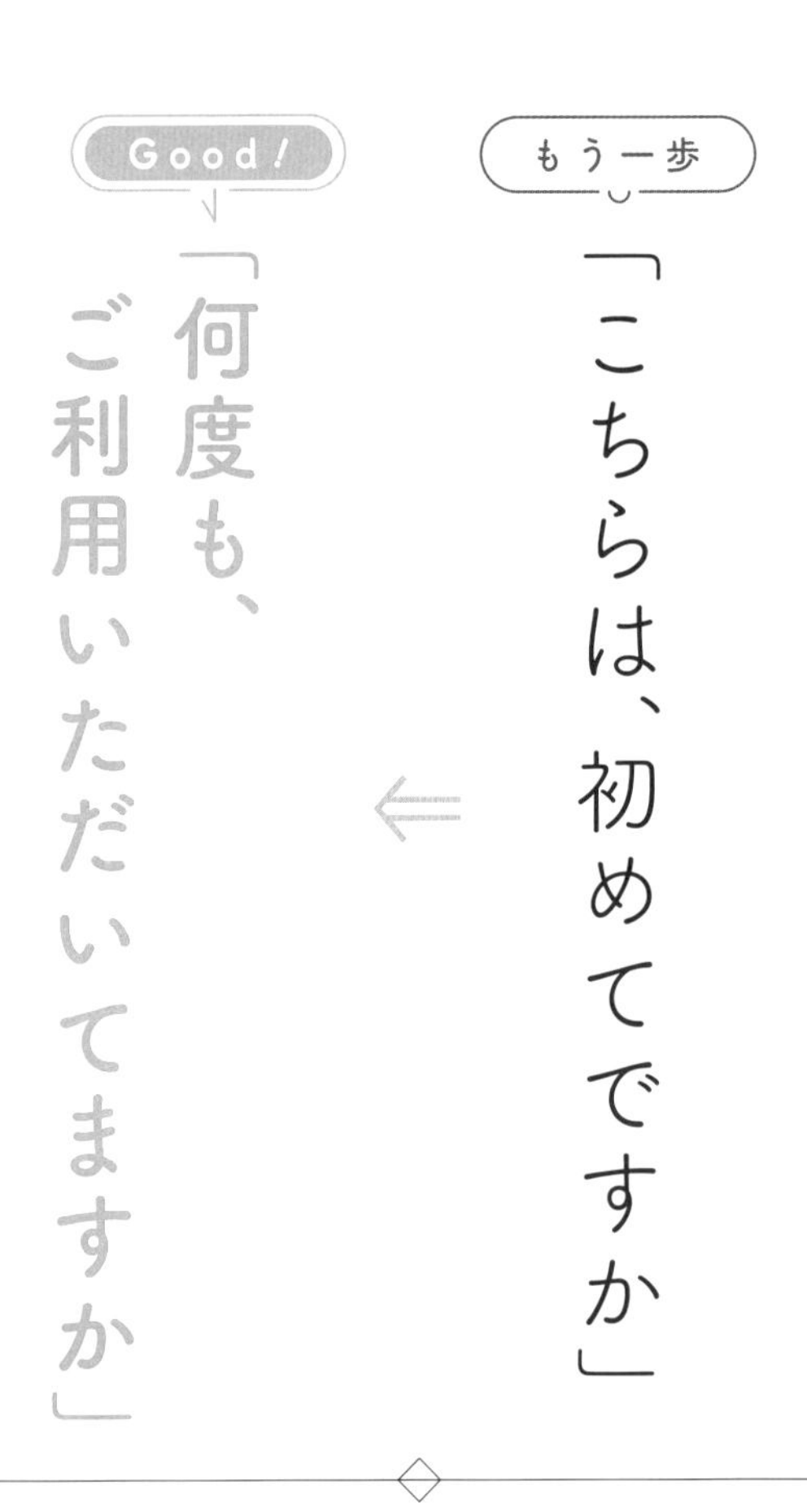

もう一歩
「こちらは、初めてですか」
Good!
「何度も、ご利用いただいてますか」

初めてかどうかを確認する時に、
「こちら初めてですか」と言うと、
不慣れに見えるという意味になります。
「何度もご利用いただいてますか」と言うと、
お客様は慣れているというほめ言葉になります。
「こちら初めてですか」は危ないです。
何度も利用している人に「初めてですか」と聞くのは、
「自分はそんなに印象がないのかな」
「たしかに顔の印象は薄いけどね」と、
相手をガッカリさせる言葉になるのです。

82

相手の前の仕事を聞く時

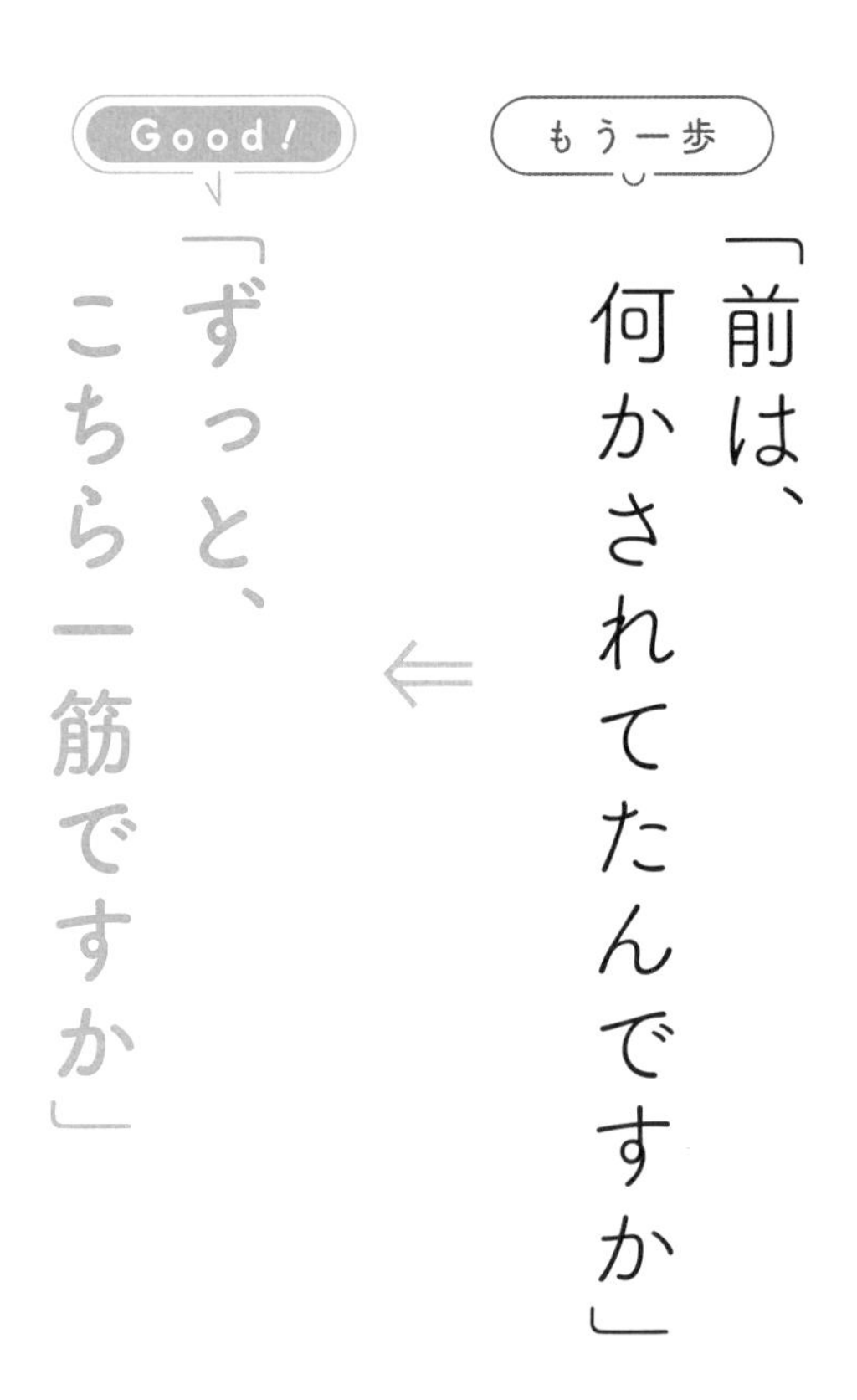

もう一歩
「前は、何かされてたんですか」
Good!
「ずっと、こちら一筋ですか」

ホテルのスタッフは、同じ業界でどんどん転職します。
「前は何をされていたんですか」と言うと、
ここで慣れていないとか、
仕事をコロコロ変えている印象をまわりに与えます。
「ずっとこちら一筋ですか」と言うと、
ベテラン感、仕事ができる感を相手に伝えられます。
「編集者になる前は何をしていたんですか」と言うと、
「編集者としてイマイチなのかな」
と言われているという印象を与えてしまうのです。

83

日本で働く外国の人に聞く時

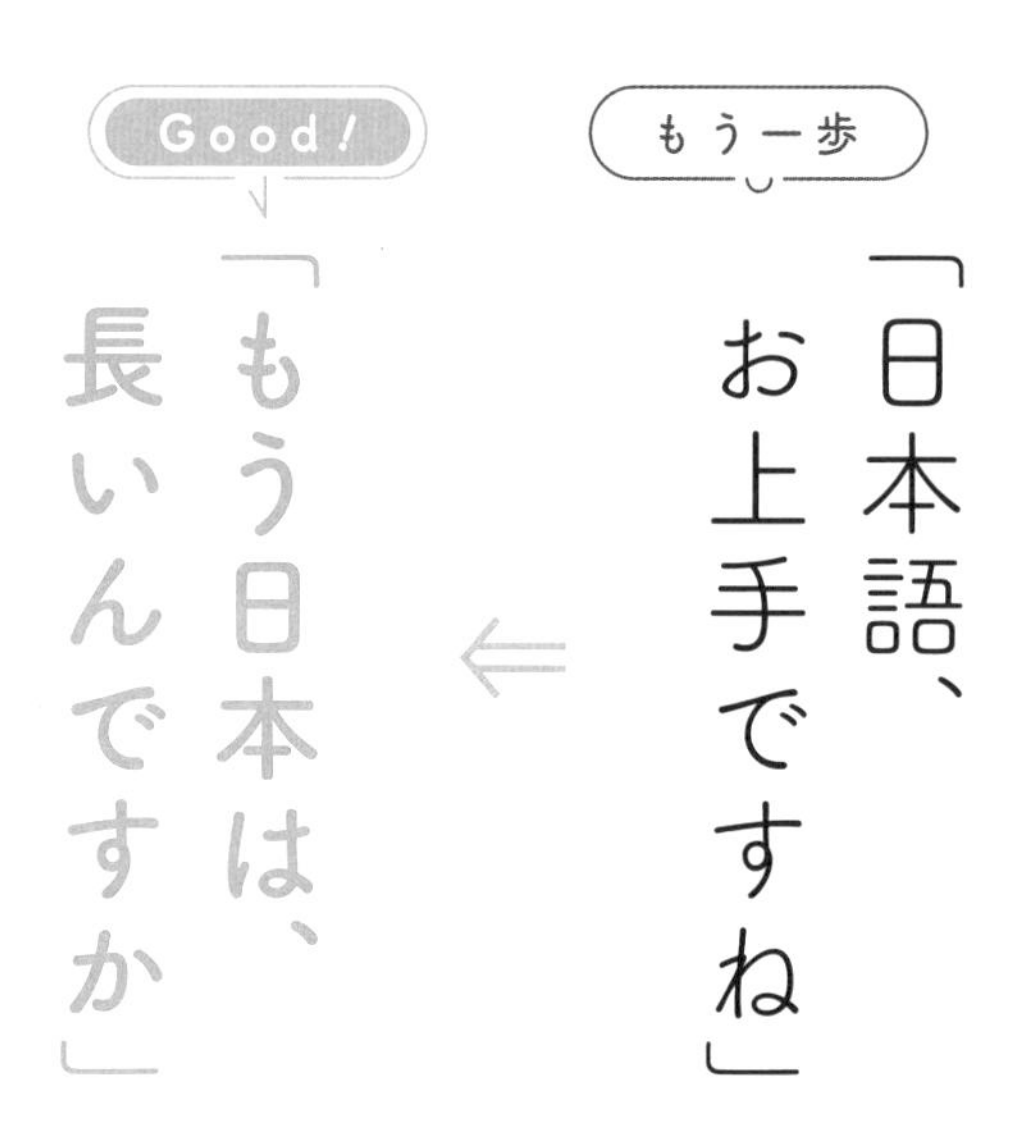

もう一歩
「日本語、お上手ですね」
Good!
「もう日本は、長いんですか」

外国人を見ると、
つい「日本語お上手ですね」と言ってしまいます。
本人に悪気はなく、ほめ言葉で言っているつもりです。
これは外国人が言われ飽きている言葉です。
「外国人が難しい日本語を話せて立派」というのは、
外国人を少し低く見ています。
「もう日本は長いんですか」と言うと、
言葉だけではなく、立ち居ふるまいまでほめていて、
日本語も仕事もできるというほめ言葉になるのです。
「まだ来て3ヵ月です」と言われたら、
「エッ、3ヵ月でここまで?」と、
逆の驚きの展開に持っていけるのです。

84

相手の出身を聞く時

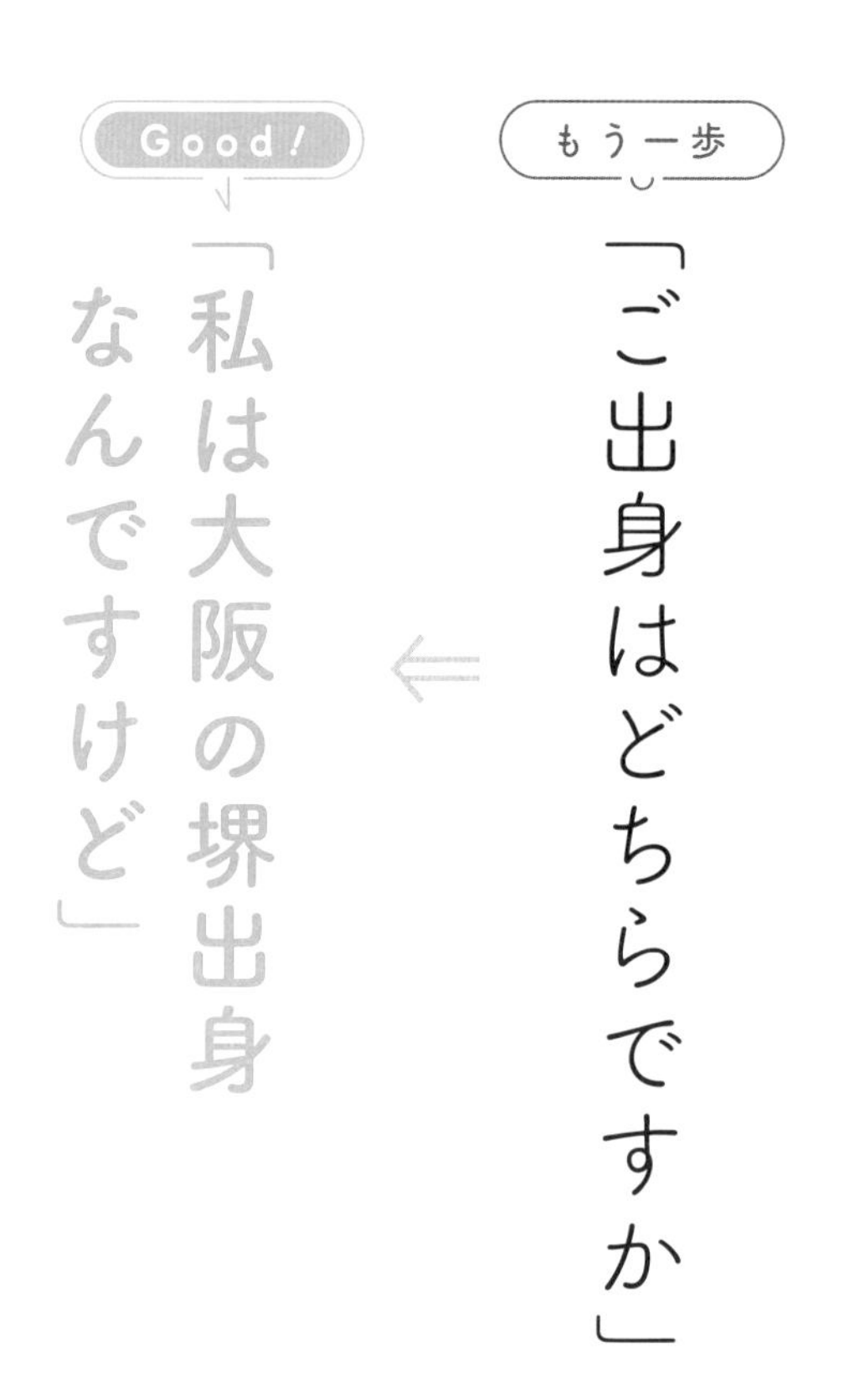

もう一歩
「ご出身はどちらですか」
Good!
「私は大阪の堺出身なんですけど」

「ご出身はどちらですか」と聞くと、

「田舎です」

「田舎ってどこ？」

「ご存じないと思いますけど」

「言って。わかると思うから」

というやりとりになります。

これは相手のプライバシーに踏み込んでいます。

相手が隠すのは、
それを聞いてどうするのかわからないからです。

会話としてもギクシャクします。

「私は大阪の堺出身なんですけど、あなたはどちら？」

というのは、まず自分を開示しています。

何か共通点を見出そうとしてくれているとわかって、
相手に安心感を与えられるのです。

85

得意先にプレゼンに行った人に

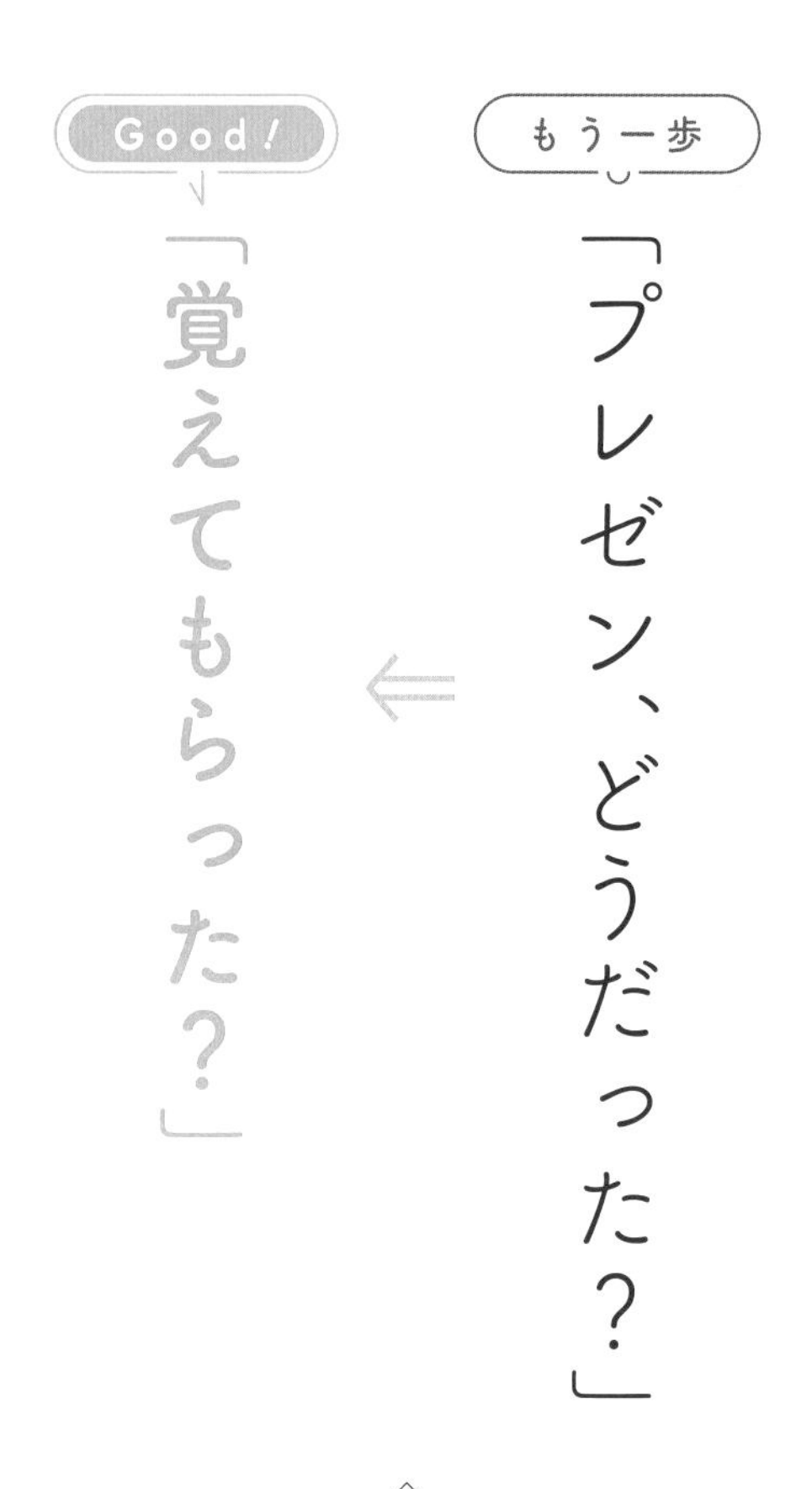

もう一歩
「プレゼン、どうだった？」
Good!
「覚えてもらった？」

学校時代、家に帰って一番つらい母親の言葉は、
「テスト、どうだった？」です。
良かった時は、自分から言います。
黙っている時は、よくなかった時です。
社会人になっても、プレゼンというテストがあります。
プレゼンで大事なことは、今回の企画が通ることではありません。
自分自身を覚えてもらうことです。
企画より、人を買ってもらうことです。
企画が通らなくても、面白い人がいると、
得意先の記憶に残れば、未来につながります。
これからプレゼンに行く人にも、
「がんばって」ではなく、
「覚えてもらっておいで」ということで、リラックスできます。

86

感想を聞く時

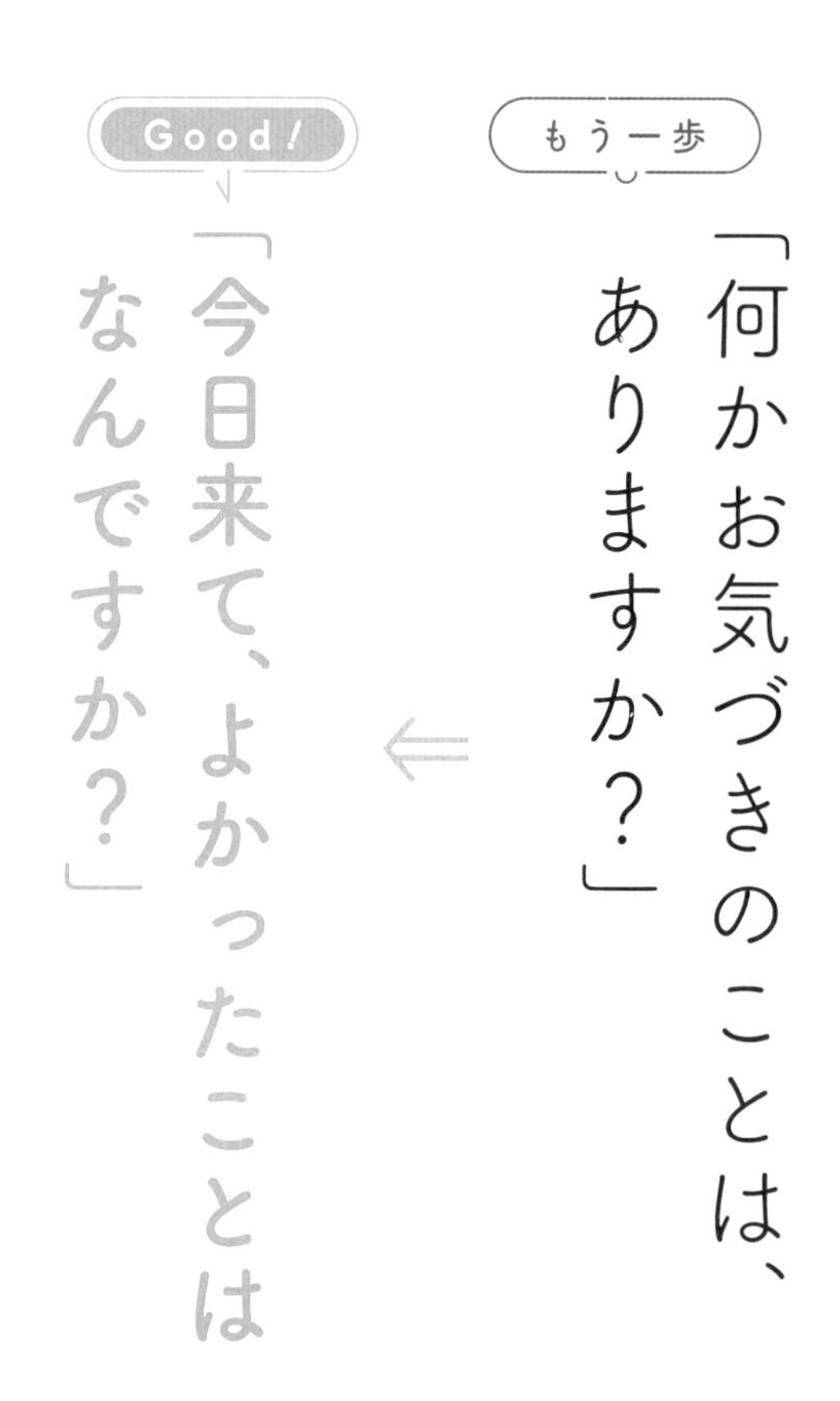

もう一歩
「何かお気づきのことは、ありますか？」
Good!
「今日来て、よかったことはなんですか？」

「何かお気づきのことはありますか」と聞かれると、
「あそこの動線が悪かった」
「ここのテンポが悪かった」
という話になります。
「お気づき」は短所を見つける言葉です。
短所が1つ見つかると、2つ、3つと見つかります。
脳は、最初にスイッチの入ったものを探します。
長所と短所が両方出てくることはありません。
私は講演の後、「アンケート用紙の文言は無視して、
今日来てよかったことを書いてください」と言います。
よかったことが1個出たら、2個、3個と出てきます。
来た人も「今日はいいことがあった」と満足できます。
「お気づきのことはなんですか」と聞かれると、
短所を探して「今日は来て損したな」と思うのです。

87

飲食店で食後にお客様に聞く時

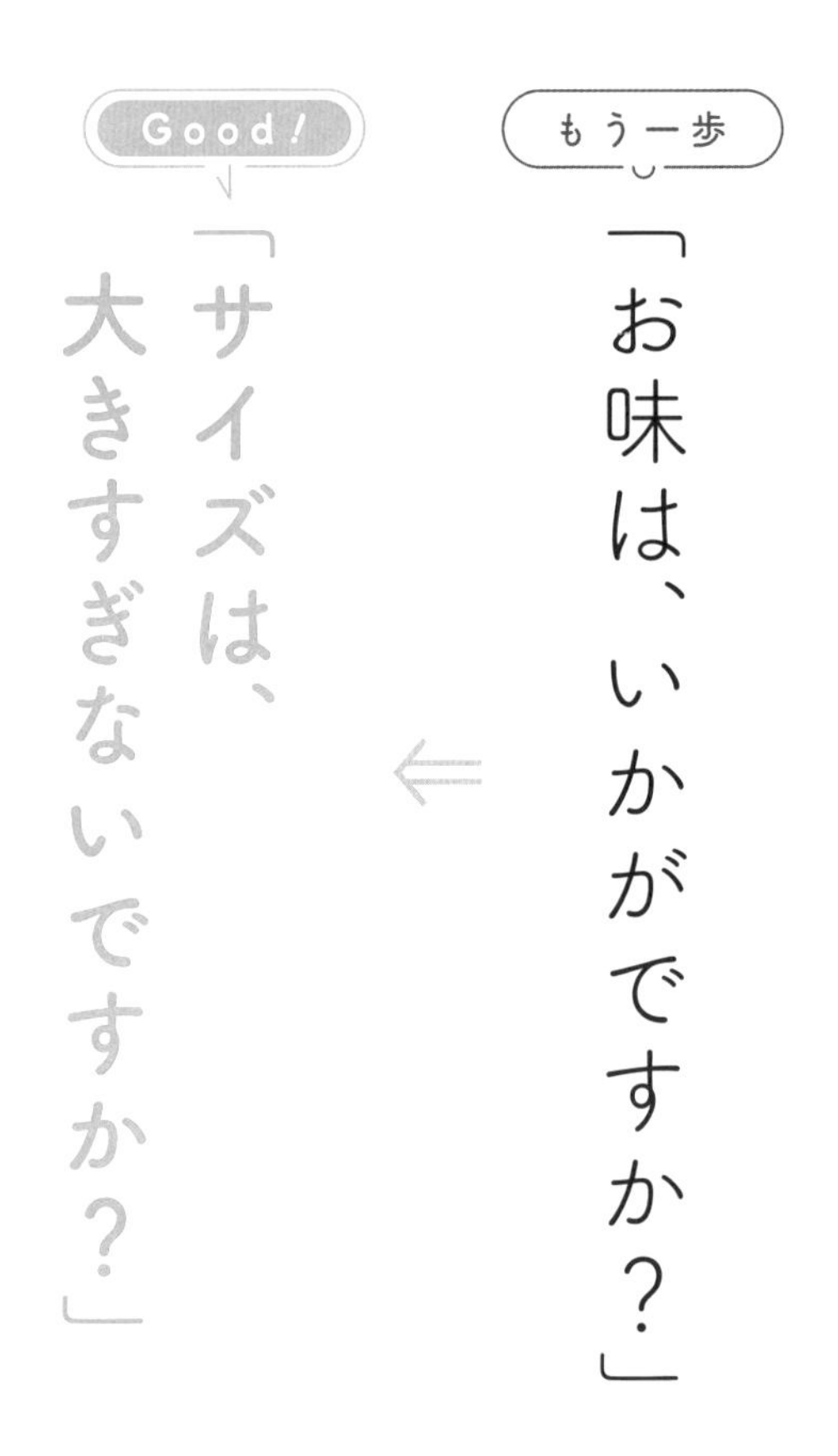

もう一歩
「お味は、いかがですか？」
Good!
「サイズは、大きすぎないですか？」

飲食店で「お味は、いかがですか」と聞くと、
ホンネは聞けません。
「おいしかったです」としか言いようがありません。
「いまいちでした」と言える人はいないのです。
あるお店でアルバイトの女性に、
「サイズは大きすぎなかったですか」と聞かれました。
「シーザーサラダは大盛りがあってもいいかもね」
と答えると、その女性はメモに書きとめて、
「シェフに伝えます」と言いました。
それで私は、
「オムライスをハーフにできないか、シェフに聞いて」
と言いました。
オムライスのハーフがあればハンバーグも頼めます。
「お味はいかがですか」では、この話は出ないのです。

88

お店の人にマナーを教わる時

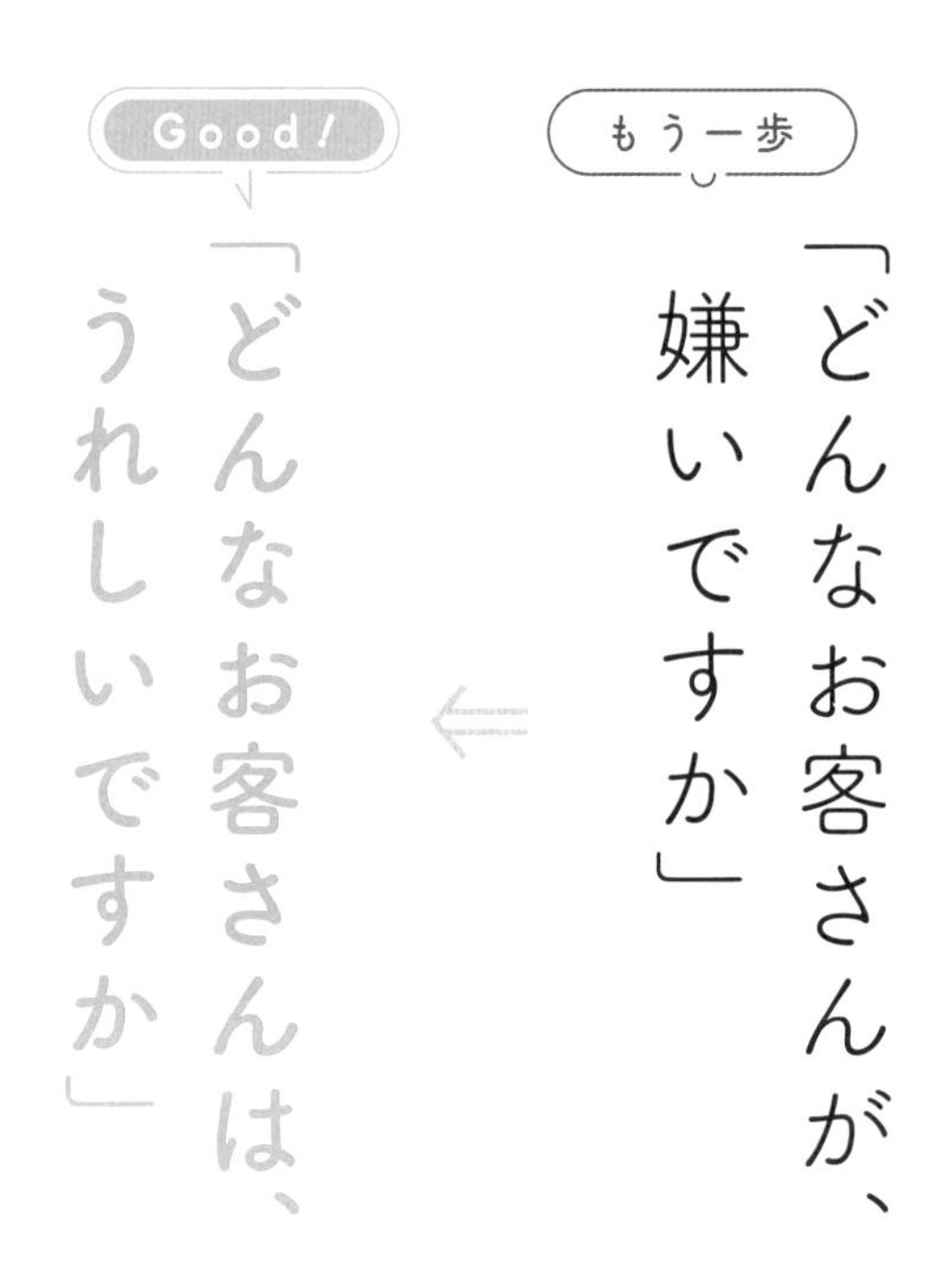

もう一歩
「どんなお客さんが、
嫌いですか」
Good!
「どんなお客さんは、
うれしいですか」

お店の人に好かれるお客さんとしてのマナーを教わるために
「どんなお客様が嫌いですか」と聞いても、
サービス業の人間は嫌いなお客様の話はできません。
「どんなお客様が好きですか」と言っても同じです。
そうではないお客様は嫌いということになるからです。
「どういうお客様がうれしいですか」という質問は、
「こんなことを言われたらうれしいですね」
と、単純に自分の感情で答えてくれます。
好き嫌いとは関係ありません。
それを聞くことで、自分がお店に行った時に
喜んでもらえるお客様になれるのです。
お店の人を喜ばせたいという気持ちが伝わるのです。

89

感想を求める時

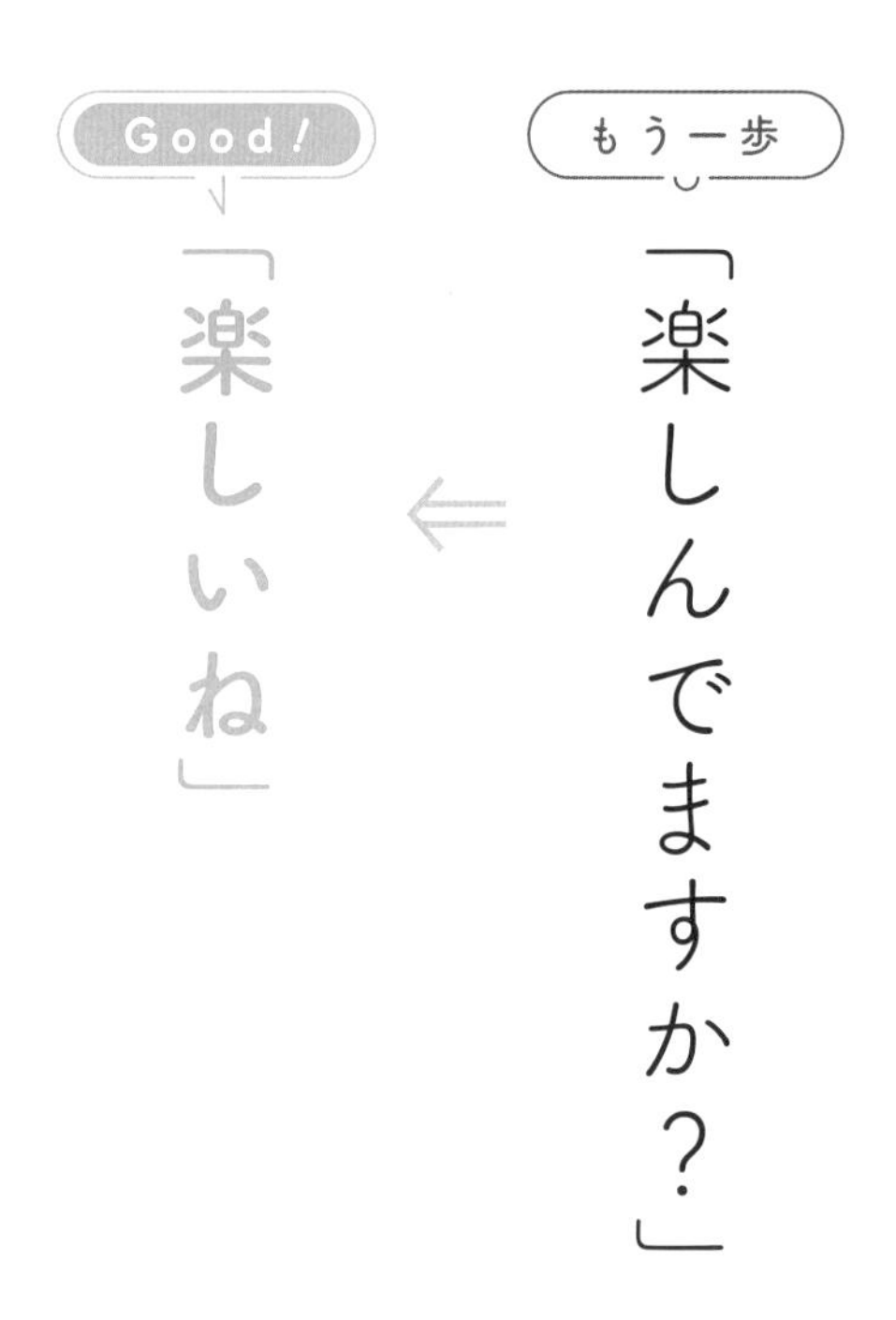

もう一歩
「楽しんでますか？」
Good!
「楽しいね」

パーティーなどで「楽しんでますか」と聞かれても、
「楽しんでます」で終わりです。
「楽しいね」と言うと、共感性が湧いてきます。
「楽しんでますか」と言う人は、
一緒に楽しまないでチェックの側にまわっています。
野球でピンチの時に監督がマウンドに近づいてきたら、
ピッチャーは交代かとハラハラします。
ロッテ時代のボビー・バレンタイン監督は、
ひと言、「楽しいね」と言ってベンチに戻りました。
これでピッチャーはうれしくて頑張ります。
それくらいうれしい言葉なのです。

90

頼まれた作業が終わった時

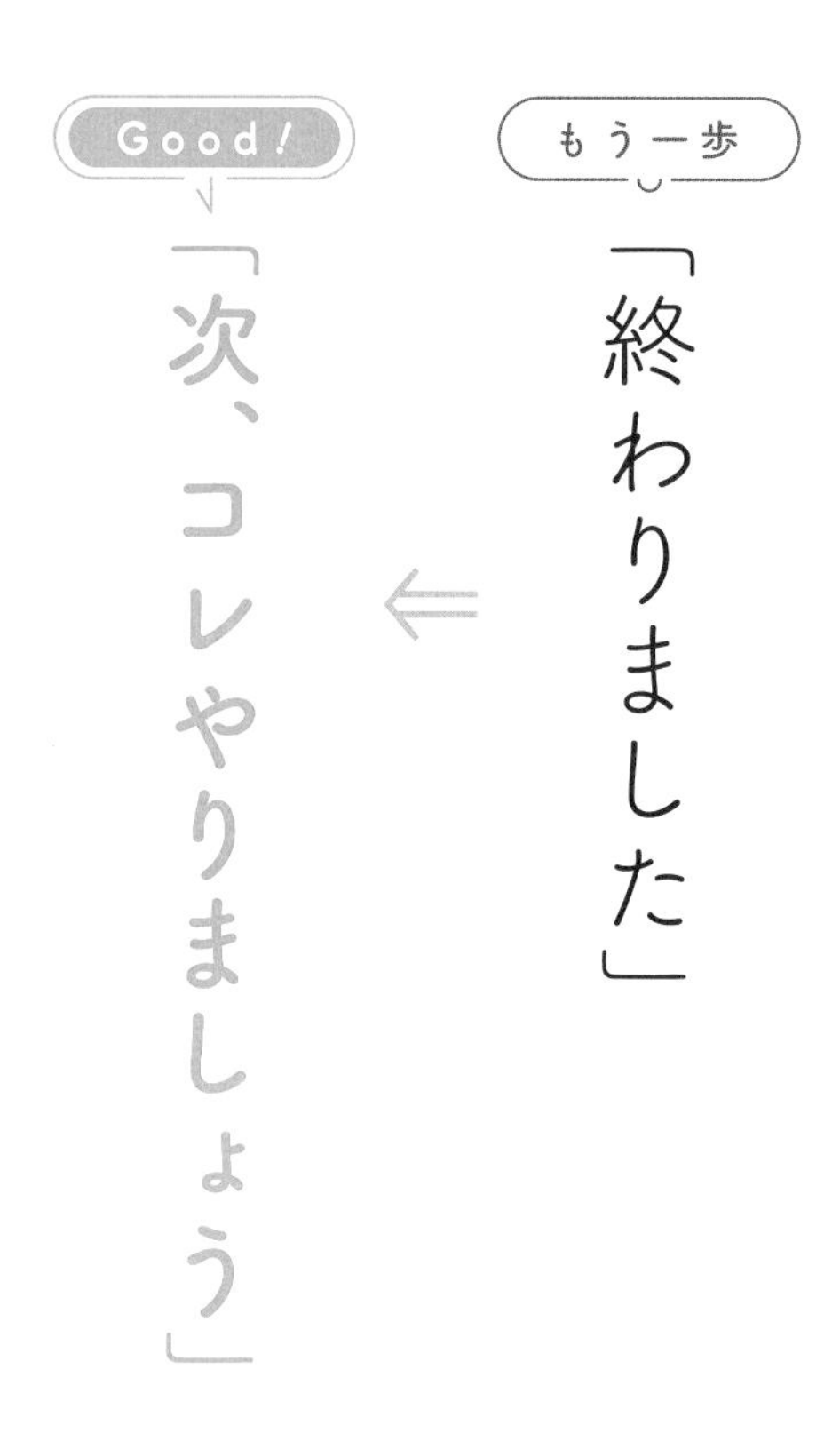

もう一歩
「終わりました」
Good!
「次、コレやりましょう」

頼まれた仕事が終わって「終わりました」と言うと、

「これで帰っていいですか」

と言っているように聞こえます。

「次、コレやりましょう」と言ってもらえば、
次の仕事も頼みたくなります。

チャンスをつかめる人は「仕事を頼まれる人」です。

「終わりました」と言われると、

「帰りたいんだな。この仕事はほかの人に頼もう」

となって、チャンスを逃すのです。

91

手伝いを申し出る時

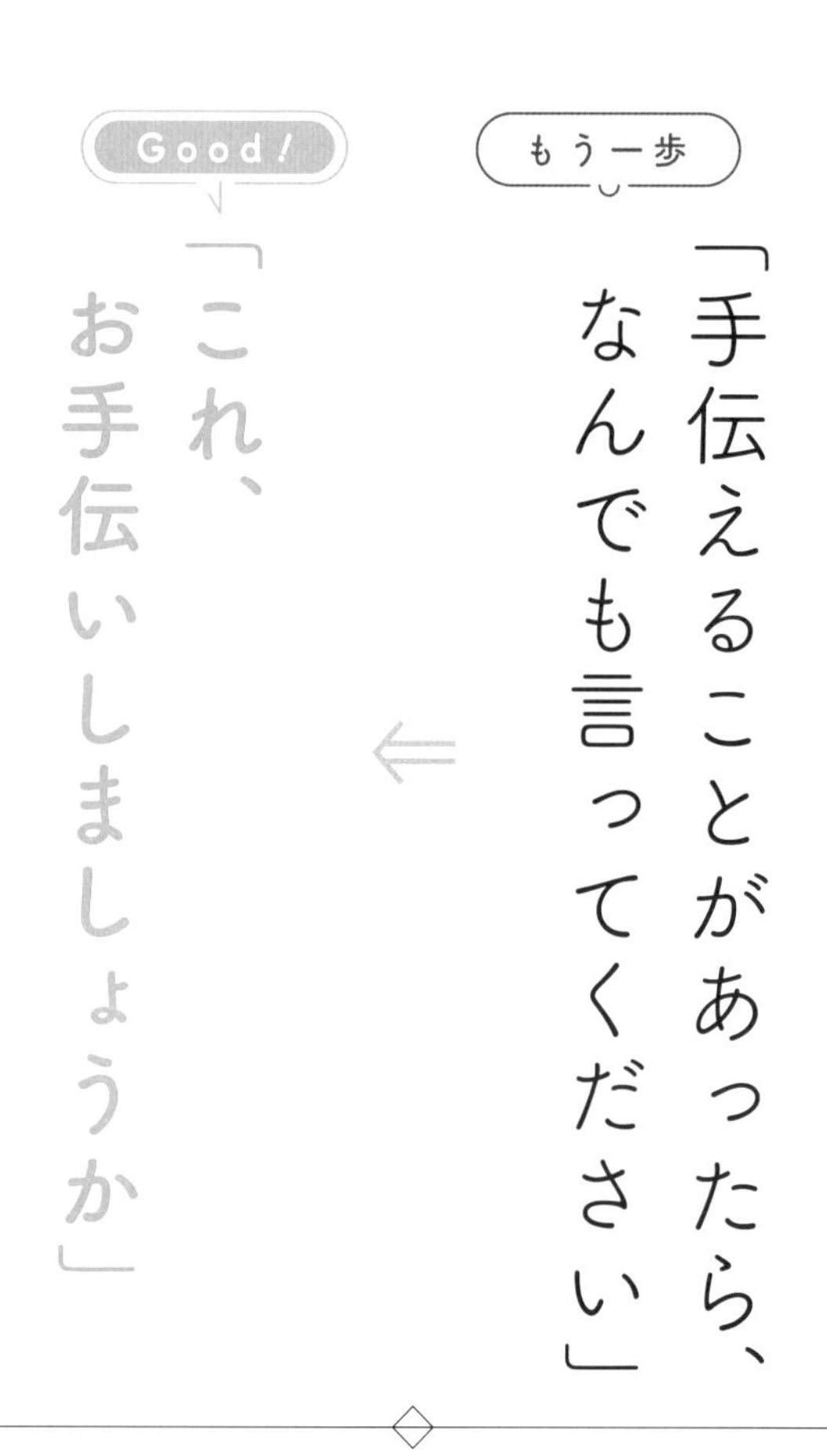

もう一歩
「手伝えることがあったら、なんでも言ってください」
Good!
「これ、お手伝いしましょうか」

パーティーの幹事さんやお葬式の喪主に、

「手伝えることがあったら、なんでも言ってください」

と言う人がいます。

こういう人に何かを頼むと、大体使えません。

「見たらわかるだろう」という話です。

誰もやっている人がいない仕事を自分で見つけて、

「これやります」「これ手伝います」

と言ってほしいです。

ひと言を聞くだけで、
使える人と使えない人が分かれるのです。

chapter 10

SNS・メール・オンライン

対面以上に伝わる。

92

久しぶりに、連絡をもらった時

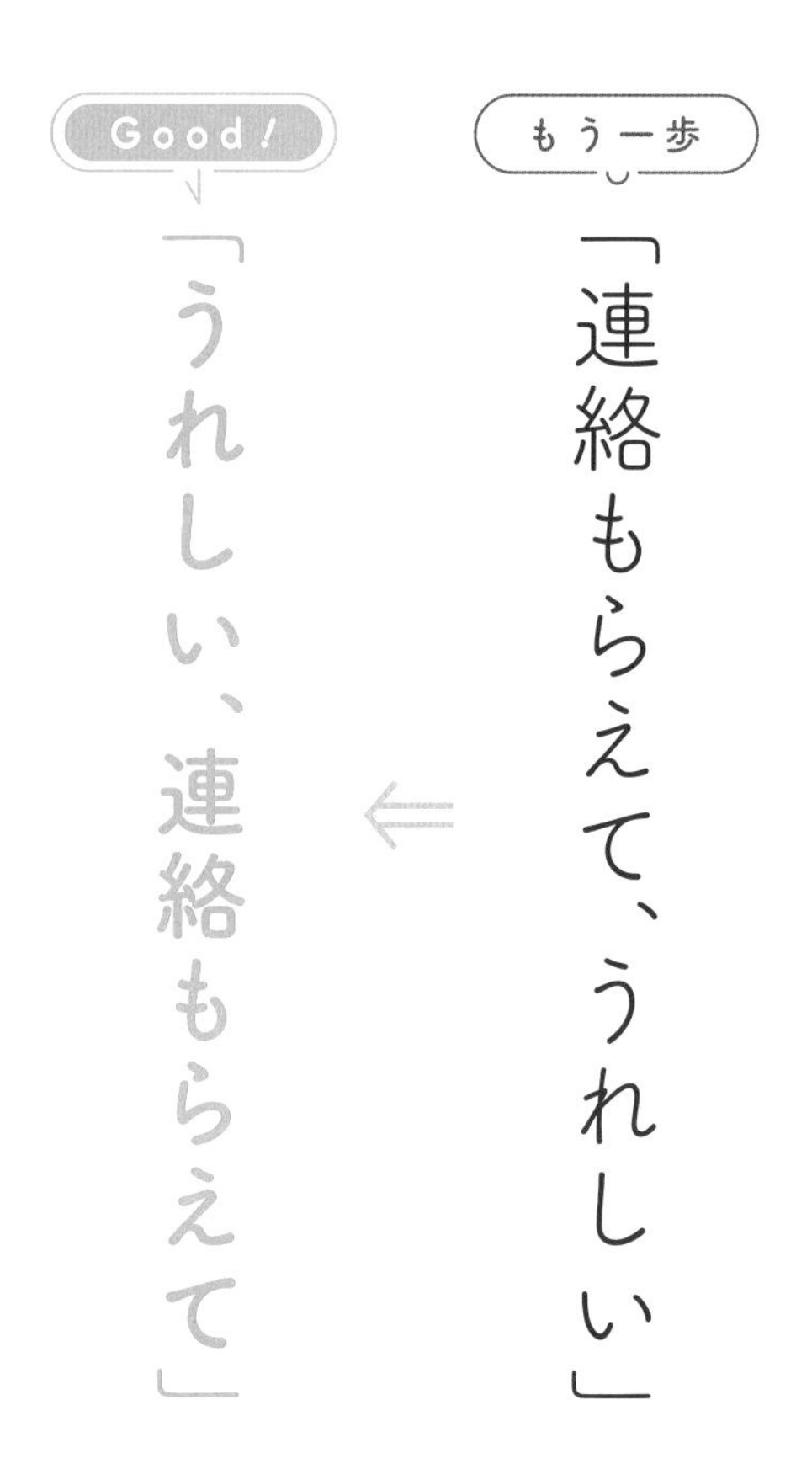

もう一歩
「連絡もらえて、うれしい」
Good!
「うれしい、連絡もらえて」

久しぶりに連絡をもらった時は、
感情を先に出した方がいいのです。
特に、メールは対面と違ってニュアンスが入りません。
口頭ではイントネーションでニュアンスが入りますが、
文章はどうしてもロートーンになりがちです。
それをハイトーンに変えるためには、
感情の言葉を頭に持ってきます。
「うれしい、連絡もらえて」と書くと、
相手は「連絡してよかったな」と嬉しくなります。
「連絡をもらえてうれしいです」は、
きわめて事務的なやりとりに感じられるのです。

93

会った人に、お礼メールを送る時

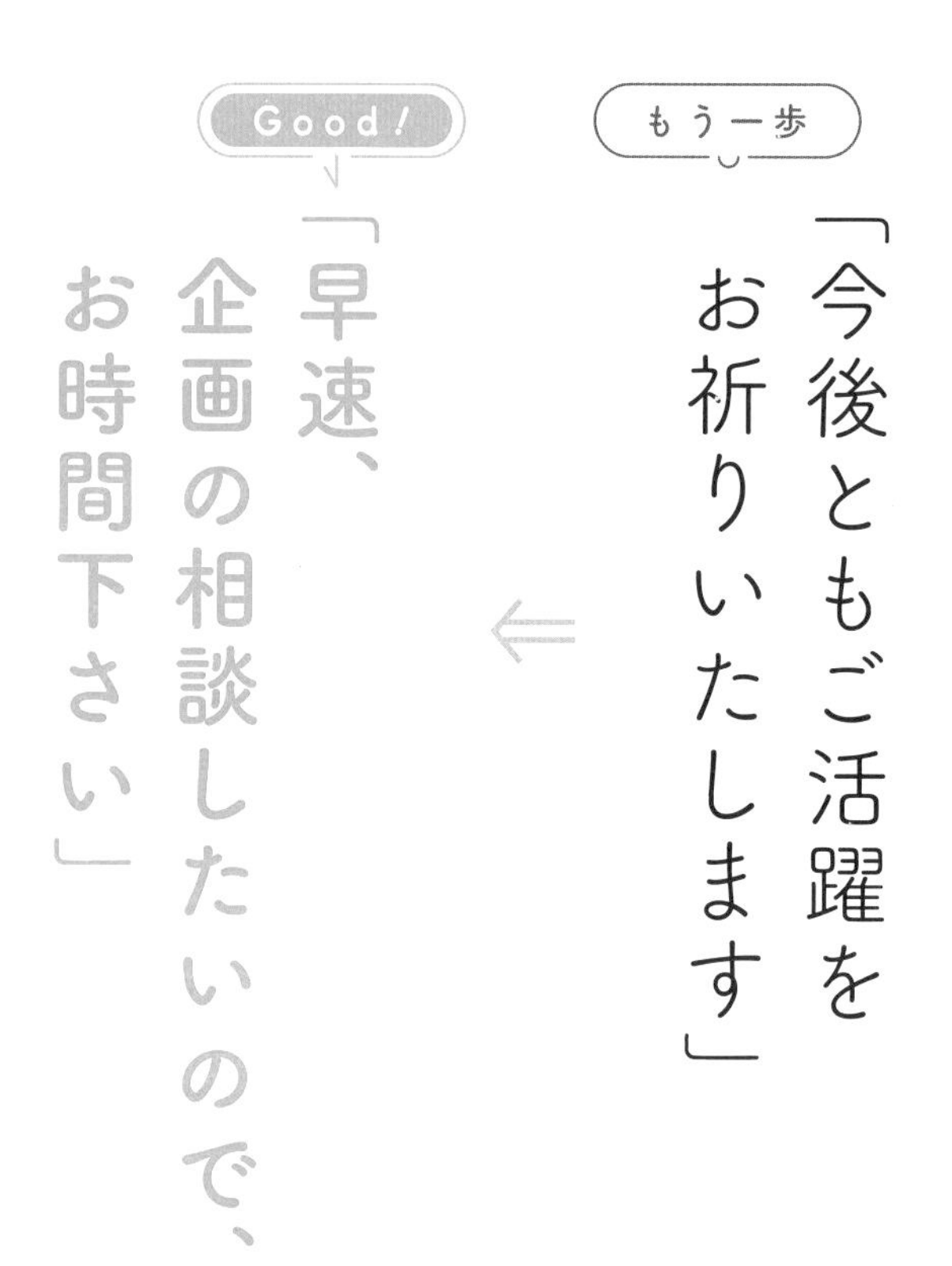

もう一歩
「今後ともご活躍をお祈りいたします」
Good!
「早速、企画の相談したいので、お時間下さい」

「ぜひ一緒に何かやりましょう。明日どうですか」

というメールを送った時に、

向こうから「今後ともご活躍をお祈りいたします」

と返ってきたことがあります。

これは面接に落ちた時の文言です。

「明日どうですか」と言われたら、

明日までに企画を考えればいいだけです。

たたき台でもいいし、メモでもいい。

雑談しながらでも企画はつくれます。

「今後ともご活躍をお祈りいたします」は、

「二度と会いません」という寂しい言葉です。

まじめな人ほど、これを送ってきます。

しかも、本人は「また会いたい」と思っているのです。

これがメールの怖さです。

94

一緒に仕事をする人に

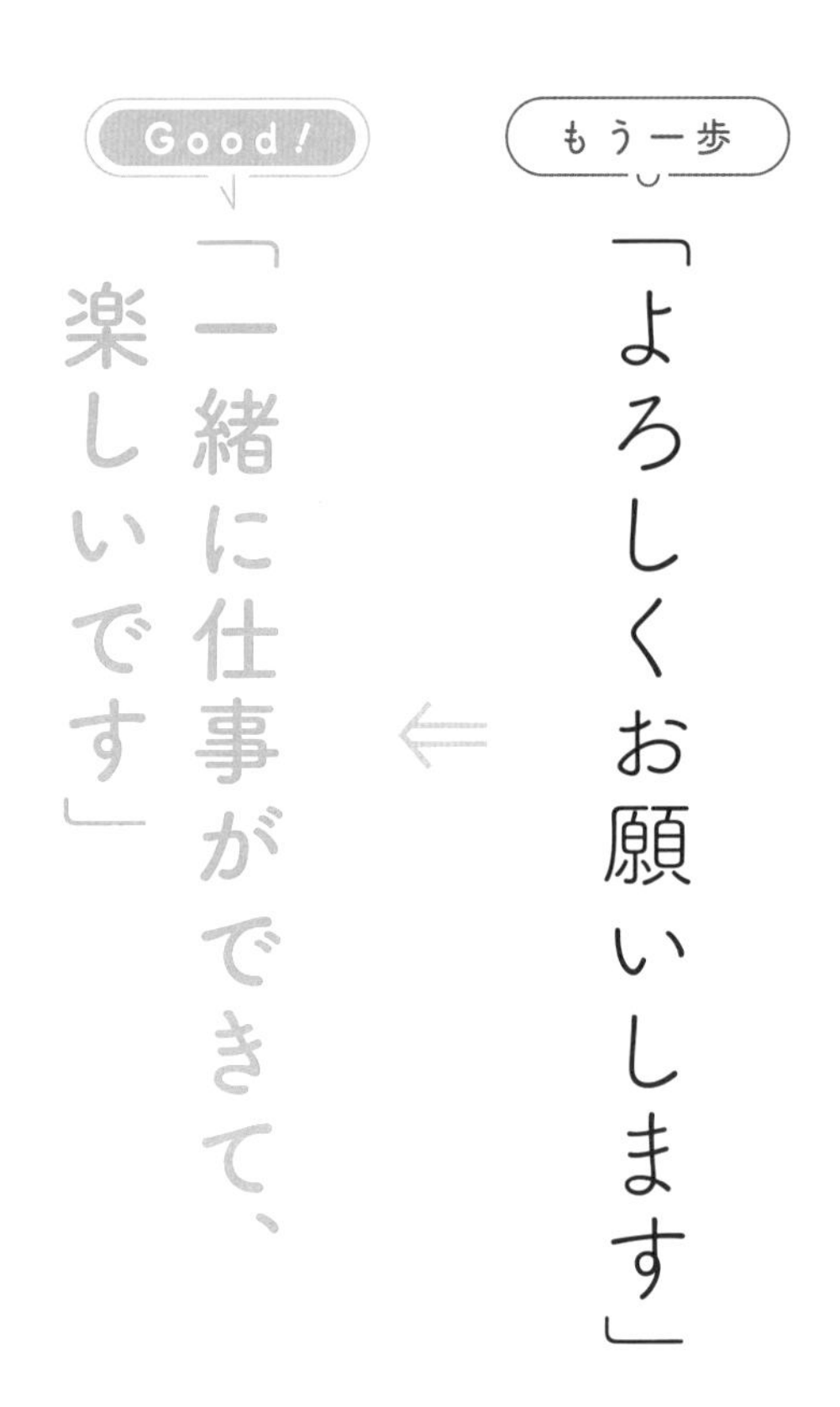

もう一歩
「よろしくお願いします」
Good!
「一緒に仕事ができて、楽しいです」

編集者と作家は、実際に会っている時間は短いです。
分業体制で、片や執筆し、片や編集しています。
ここで大切なのは「一緒に仕事してる感」です。
原稿を渡して「後はこっちでやっときます」
と言われると、ちょっと、淋しいです。
「大丈夫です」と言われても何か寂しいです。
それよりも「楽しいです」という感覚が欲しいのです。
私は編集者に、
「一緒に仕事ができて楽しい」とメールを送ります。
主婦の友社から新しく春陽堂書店に移った三宅川修慶(みやがわしゅうけい)さんは、
「『相棒』の寺脇康文さんの気分です」と言ってくれました。
仕事にはバディ感が大切なのです。

95

約束をした時

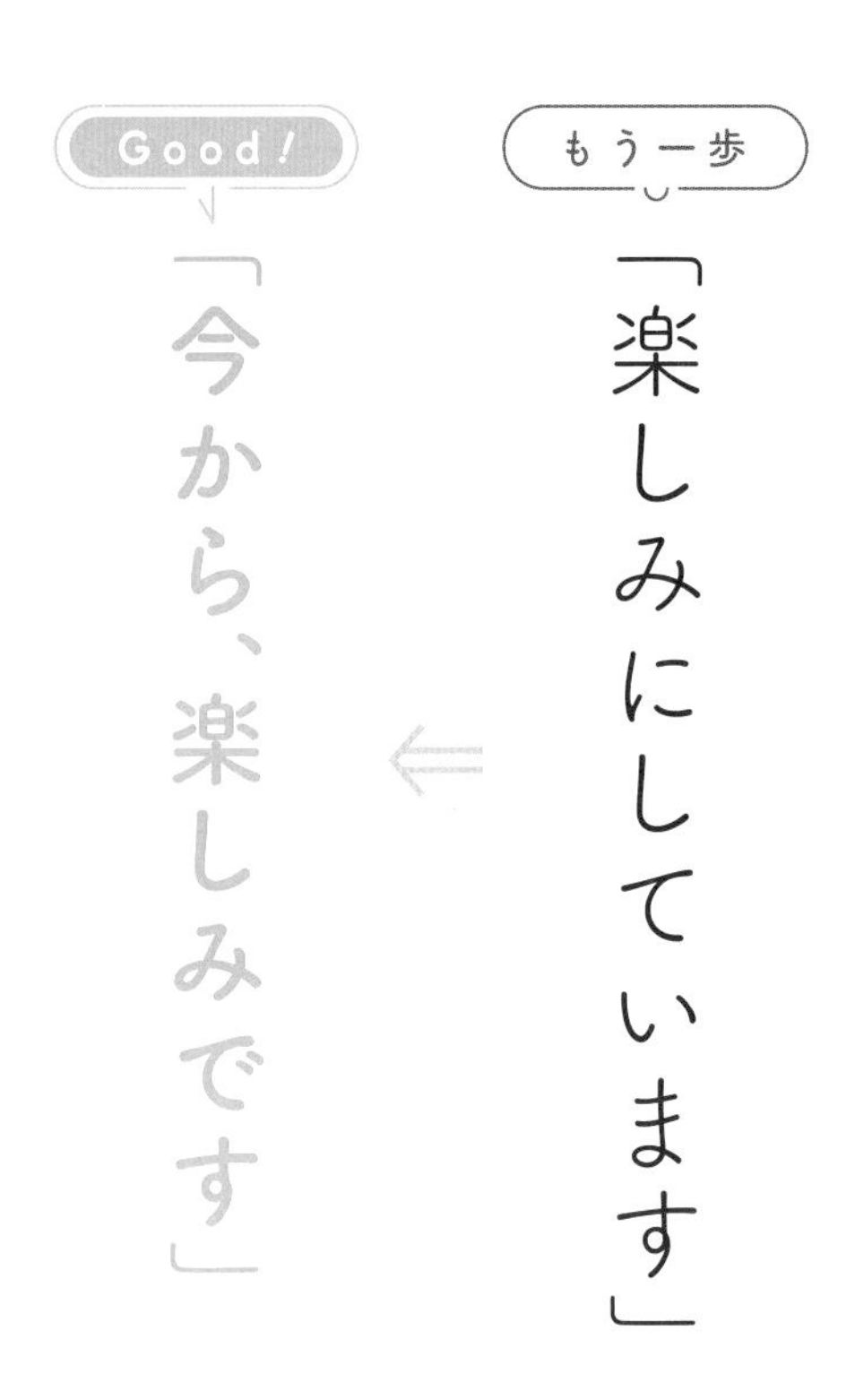

もう一歩
「楽しみにしています」
Good!
「今から、楽しみです」

約束をした時に、
「楽しみにしています」はよく使う言葉です。
これも言いかえられます。
私は「今から楽しみです」と言います。
「楽しみにしています」は、その日が楽しいだけです。
約束が決まった時点で楽しみが始まっています。
言われた側はうれしいです。
仕事は恋愛と同じです。
お互いにワクワクを共有したいのです。

96

「これ、連絡しておいて」と言われた時

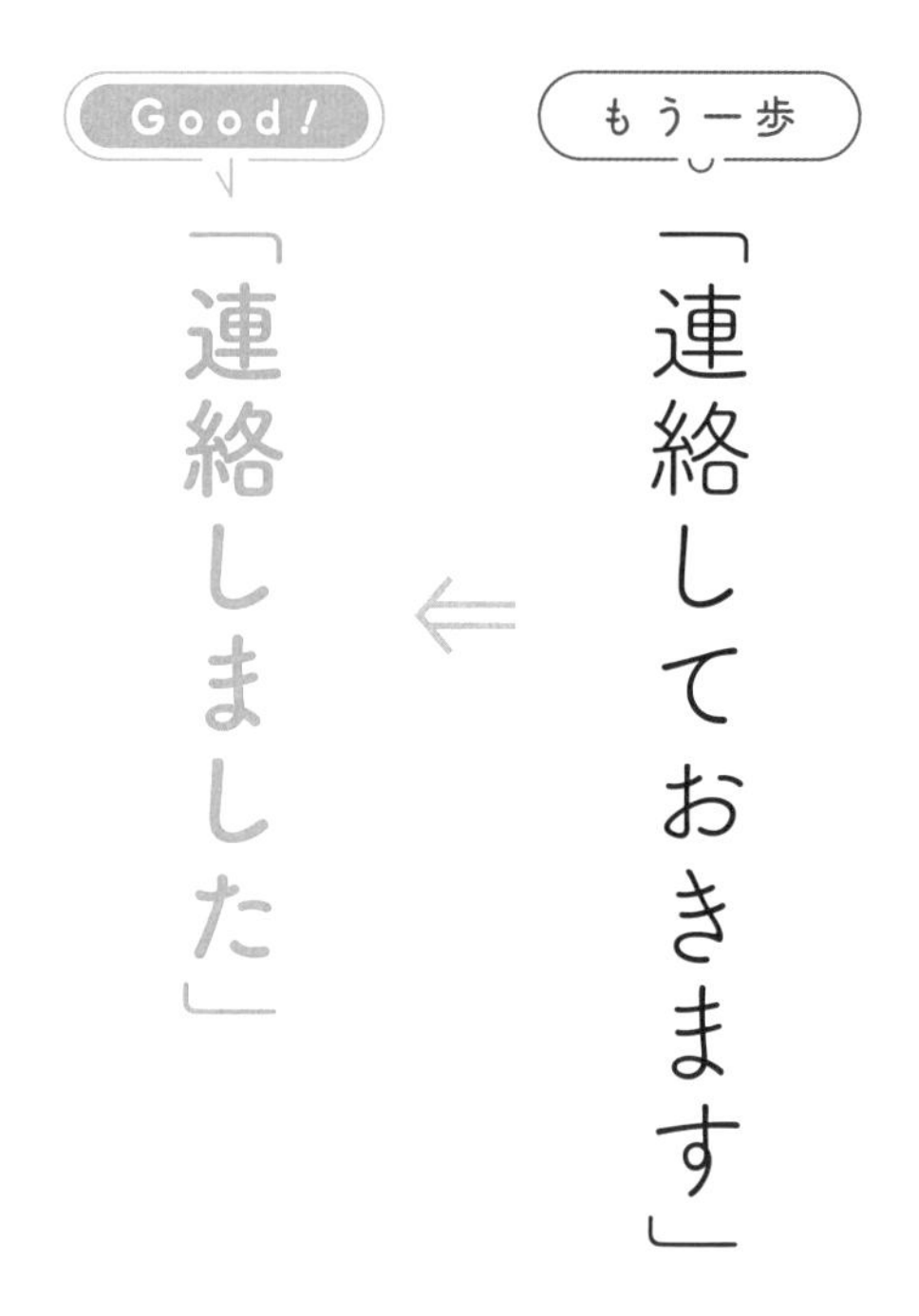

もう一歩
「連絡しておきます」
Good!
「連絡しました」

上司から「これ連絡しといて」と頼まれた時に、
「連絡しておきます」と言うのは、まちがいではありません。
ただし、これで終わらないようにします。
上司が必要としている情報は、連絡したかどうかです。
「連絡しておきます」の後に、
「連絡しておきました」の報告が欲しいのです。
「連絡しておきます」と言ったからもういいでしょうと
放り出されると、上司はずっとハラハラ状態です。
相手のハラハラを感じ取ることが大切なのです。

97

この本、面白いよと勧められた時

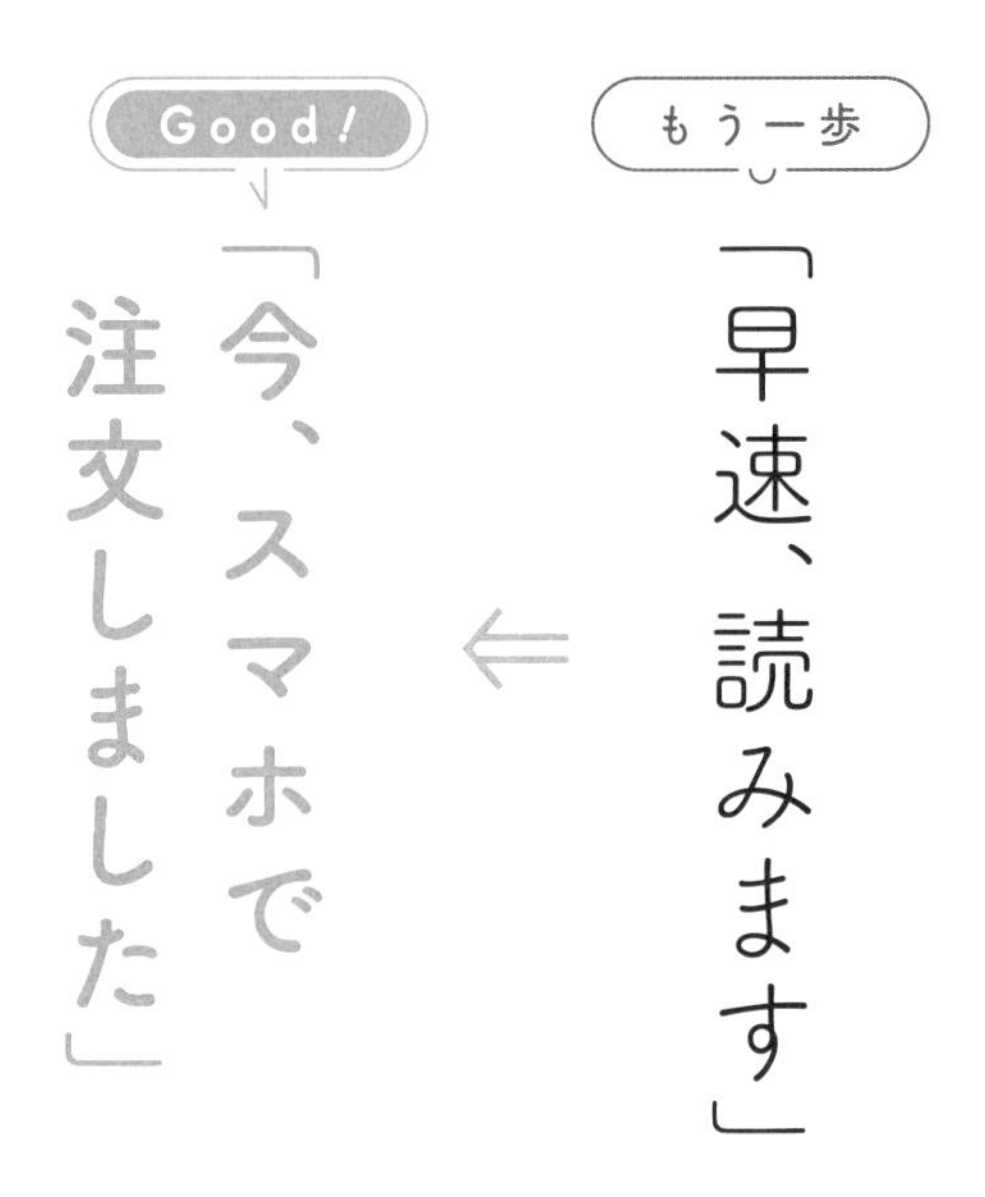

もう一歩
「早速、読みます」
Good!
「今、スマホで注文しました」

本を進められた時に「早速読みます」と言うのは
「連絡しておきます」と言うのと同じです。

それよりも、目の前でスマホで注文します。

「どこが面白いですか」

「どんな本ですか」

「売れてるんですか」

という情報はいりません。

相手が面白いと言っているのだから、
何も聞かずに注文します。

スマホで即注文できるので、一番速いのです。

スピードでやる気が伝わります。

スピードでまわりと差がつくのです。

98

「インスタに上げていいですか」と聞かれた時

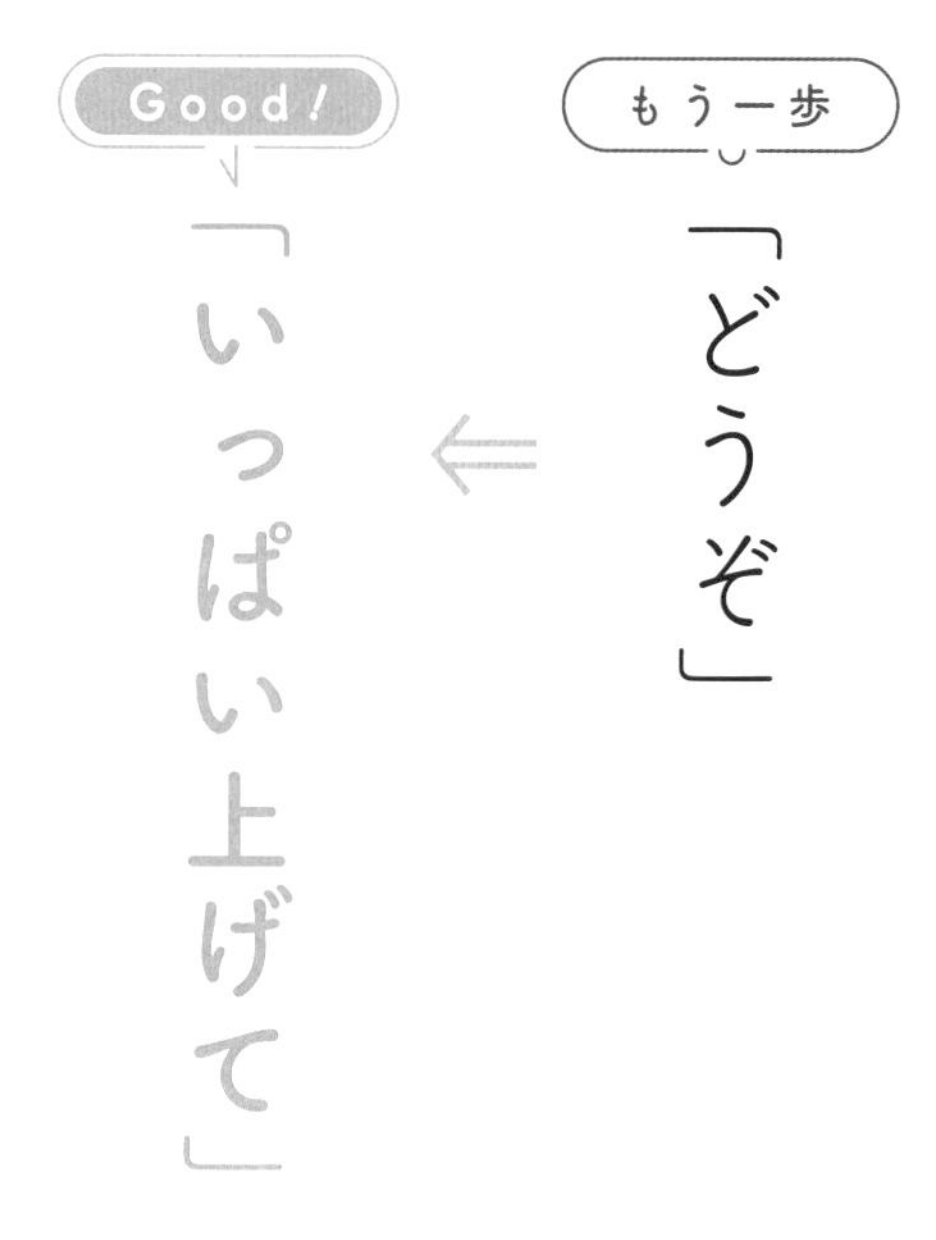

もう一歩
「どうぞ」
Good!
「いっぱい上げて」

コシノジュンコさんは、
一緒に写真を撮ったファンの人から
「これインスタに上げていいですか」と聞かれると、
「いっぱい上げて」と答えます。
これは私もマネしています。
ここで「どうぞ」と言う人が多いのです。
「いっぱい上げて」と言われると、
上げることで喜んでもらえるという気持ちになります。
「どうぞ」と「いっぱい上げて」は、
意味は同じでも感じ方が大きく違うのです。

99

締切を督促する時

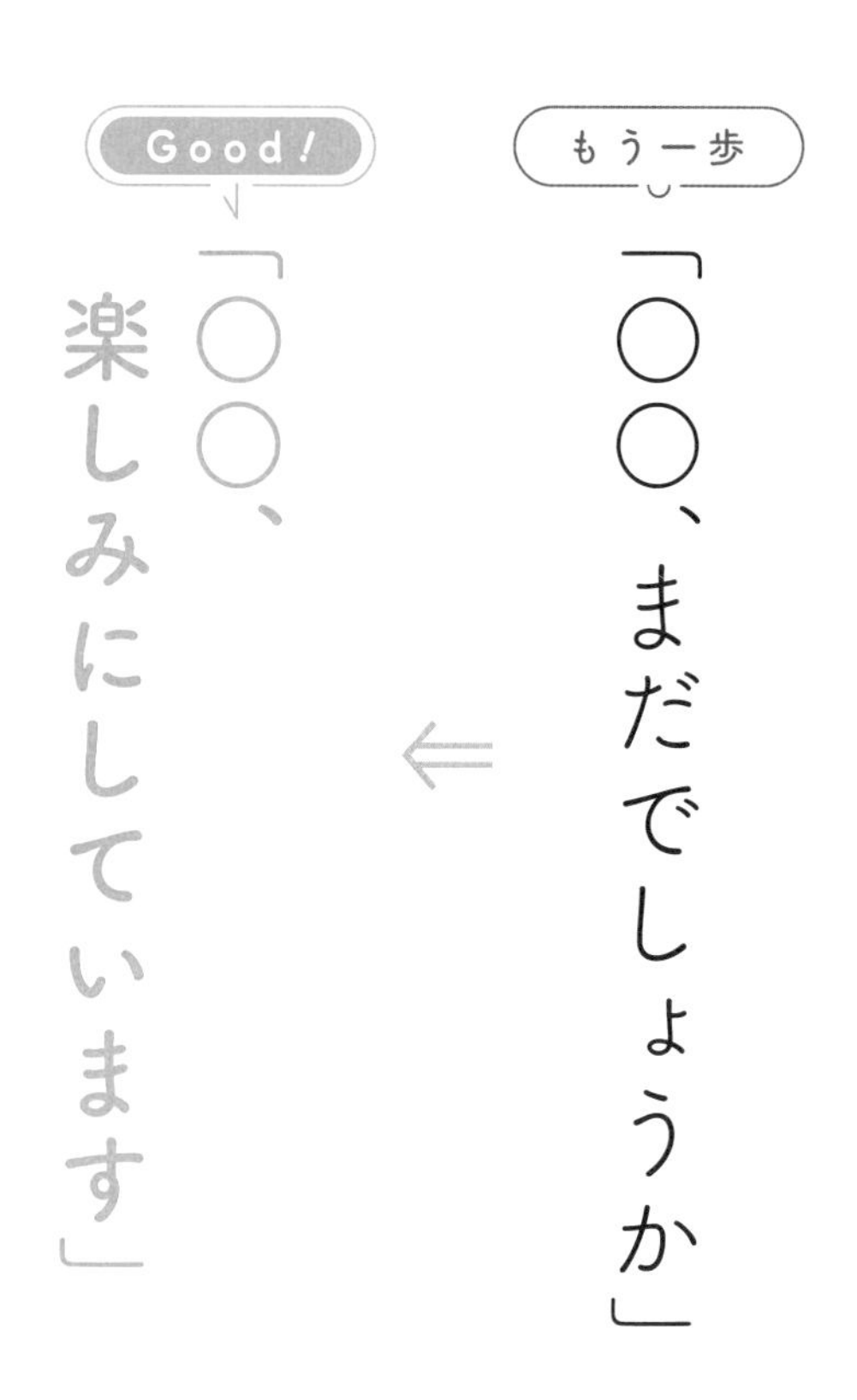

もう一歩
「〇〇、まだでしょうか」
⇐
Good!
「〇〇、楽しみにしています」

締切の催促は編集者の仕事です。
私は早めに渡しますが、そうでない人もいます。
遅れている人ほど連絡がありません。
「原稿、まだでしょうか」と言うと、
よけいブロックします。
「原稿、楽しみにしています」と言われると、
早くしようかなという気持ちになります。
さりげなく応援が入っているのです。
「まだでしょうか」と言う人は、少し怒っています。
楽しみにしている人はワクワクしています。
そういう人と一緒に仕事をしたいです。
チャンスを先につかむのは、
ワクワクしている人なのです。

100

企画をメールで受け取った時

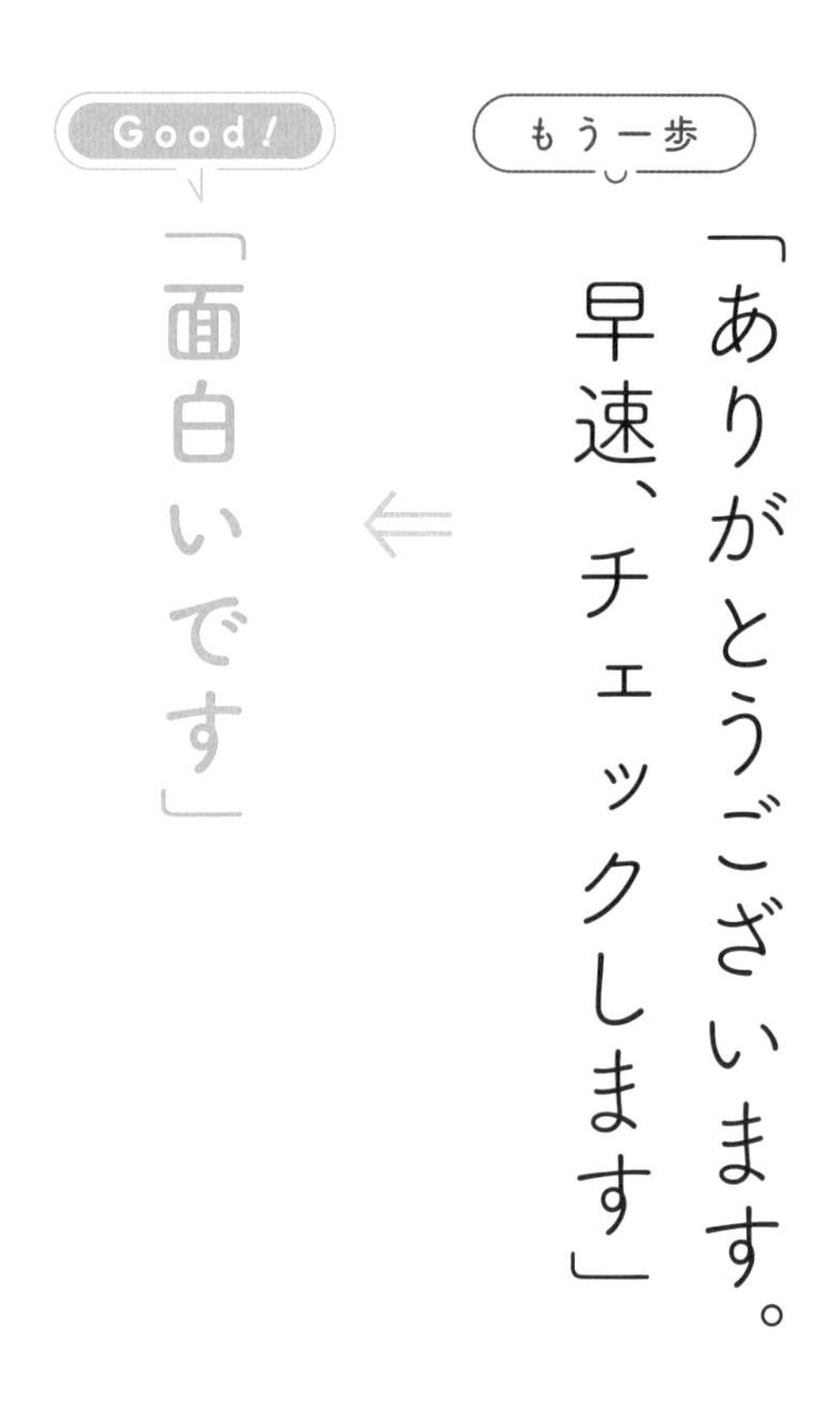
もう一歩
「ありがとうございます。
早速、チェックします」
⇐
Good!
「面白いです」

作家はクリエイティブの世界で生きています。
自分の作品が一番面白いという世界です。
それでも最初の1人の「面白い」を頼りにしています。
編集者の「面白い」というひと言は、
「売れてます」よりも大切な言葉です。

私が企画を送る時は、
自分で「面白いと思う」と言ってしまいます。
面白さ・楽しさを共有したいからです。
「面白い」「楽しい」「うれしい」「好き」は、
あらゆる事務的連絡を不要とするすばらしい言葉です。
お互いの関係をより深め、
これからの未来をつくっていく言葉になるのです。

【青春出版社】
『人はマナーでつくられる』
『50代「仕事に困らない人」は見えないところで何をしているのか』
『50代から成功する人の無意識の習慣』
『いくつになっても「求められる人」の小さな習慣』

【かざひの文庫】
『銀座スタイル』
『本に、オトナにしてもらった。』
『そのひと手間を、誰かが見てくれている。』

【自由国民社】
『期待より、希望を持とう。』
『不安を、ワクワクに変えよう。』
『「そのうち何か一緒に」を、卒業しよう。』
『君がイキイキしていると、僕はうれしい。』

【現代書林】
『チャンスは「ムダなこと」から生まれる。』
『お金の不安がなくなる60の方法』
『なぜあの人には「大人の色気」があるのか』

【ぱる出版】
『品のある稼ぎ方・使い方』
『察する人、間の悪い人。』
『選ばれる人、選ばれない人。』

【DHC】
『会う人みんな神さま』ポストカード
『会う人みんな神さま』書画集
『あと「ひとこと」の英会話』

【第三文明社】
『中谷彰宏の子育てワクワク作戦』
『仕事は、最高に楽しい。』

【ユサブル】
『迷った時、「答え」は歴史の中にある。』
『1秒で刺さる書き方』

【大和出版】
『自己演出力』
『一流の準備力』

【海竜社】
『昨日より強い自分を引き出す61の方法』
『一流のストレス』

【リンデン舎】
『状況は、自分が思うほど悪くない。』
『速いミスは、許される。』

【毎日新聞出版】
『あなたのまわりに「いいこと」が起きる70の言葉』
『なぜあの人は心が折れないのか』

【文芸社】
『全力で、1ミリ進もう。』【文庫】
『贅沢なキスをしよう。』【文庫】

【総合法令出版】
『「気がきくね」と言われる人のシンプルな法則』
『伝説のホストに学ぶ82の成功法則』

【エムディエヌコーポレーション】
『カッコいい大人になろう』

【彩流社】
『40代「進化するチーム」のリーダーは部下をどう成長させているか』

【学研プラス】
『読む本で、人生が変わる。』

【WAVE出版】
『リアクションを制する者が20代を制する。』

【二見書房】
『「お金持ち」の時間術』【文庫】

【ミライカナイブックス】
『名前を聞く前に、キスをしよう。』

【イースト・プレス】
『なぜかモテる人がしている42のこと』【文庫】

【ベースボール・マガジン社】
『「生活のアスリート」になろう。』

【春陽堂書店】
『色気は、50歳から。』

中谷彰宏　主な作品一覧

『ファーストクラスに乗る人の発想』
『いい女は「言いなりになりたい男」とつきあう。』
『ファーストクラスに乗る人の人間関係』
『いい女は「変身させてくれる男」とつきあう。』
『ファーストクラスに乗る人の人脈』
『ファーストクラスに乗る人のお金２』
『ファーストクラスに乗る人の仕事』
『ファーストクラスに乗る人の教育』
『ファーストクラスに乗る人の勉強』
『ファーストクラスに乗る人のお金』
『ファーストクラスに乗る人のノート』
『ギリギリセーーフ』

【リベラル社】
『好かれる人は話し方が９割』【文庫】
『20 代をどう生きるか』
『30 代をどう生きるか』【文庫】
『メンタルと体調のリセット術』
『新しい仕事術』
『哲学の話』
『１分で伝える力』
『「また会いたい」と思われる人「二度目はない」と思われる人』
『モチベーションの強化書』
『50 代がもっともっと楽しくなる方法』
『40 代がもっと楽しくなる方法』
『30 代が楽しくなる方法』
『チャンスをつかむ 超会話術』
『自分を変える 超時間術』
『問題解決のコツ』
『リーダーの技術』
『一流の話し方』
『一流のお金の生み出し方』
『一流の思考の作り方』
『一流の時間の使い方』

【ＰＨＰ研究所】
『自己肯定感が一瞬で上がる 63 の方法』【文庫】
『定年前に生まれ変わろう』
『メンタルが強くなる 60 のルーティン』
『中学時代にガンバれる 40 の言葉』
『中学時代がハッピーになる 30 のこと』
『もう一度会いたくなる人の聞く力』
『14 歳からの人生哲学』
『受験生すぐにできる 50 のこと』
『高校受験すぐにできる 40 のこと』
『ほんのささいなことに、恋の幸せがある。』
『高校時代にしておく 50 のこと』
『お金持ちは、お札の向きがそろっている。』【文庫】
『仕事の極め方』
『中学時代にしておく 50 のこと』
『たった３分で愛される人になる』【文庫】
『「できる人」のスピード整理術』【図解】
『「できる人」の時間活用ノート』【図解】
『自分で考える人が成功する』【文庫】
『入社３年目までに勝負がつく 77 の法則』【文庫】

【大和書房】
『いい女は「ひとり時間」で磨かれる』【文庫】
『大人の男の身だしなみ』
『今日から「印象美人」』【文庫】
『いい女のしぐさ』【文庫】
『美人は、片づけから。』【文庫】
『いい女の話し方』【文庫】
『「女を楽しませる」ことが男の最高の仕事。』【文庫】
『男は女で修行する。』【文庫】

【水王舎】
『なぜ美術館に通う人は「気品」があるのか。』
『なぜあの人は「美意識」があるのか。』
『なぜあの人は「教養」があるのか。』
『結果を出す人の話し方』
『「人脈」を「お金」にかえる勉強』
『「学び」を「お金」にかえる勉強』

【あさ出版】
『孤独が人生を豊かにする』
『気まずくならない雑談力』
『「いつまでもクヨクヨしたくない」とき読む本』
『「イライラしてるな」と思ったとき読む本』
『なぜあの人は会話がつづくのか』

【すばる舎リンケージ】
『仕事が速い人が無意識にしている工夫』
『好かれる人が無意識にしている文章の書き方』
『好かれる人が無意識にしている言葉の選び方』
『好かれる人が無意識にしている気の使い方』

【日本実業出版社】
『出会いに恵まれる女性がしている 63 のこと』
『凛とした女性がしている 63 のこと』
『一流の人が言わない 50 のこと』
『一流の男 一流の風格』

【河出書房新社】
『一流の人は、教わり方が違う。』【新書】
『成功する人のすごいリアクション』
『成功する人は、教わり方が違う。』

中谷彰宏　主な作品一覧

【ダイヤモンド社】
『60代でしなければならない50のこと』
『面接の達人 バイブル版』
『なぜあの人は感情的にならないのか』
『50代でしなければならない55のこと』
『なぜあの人の話は楽しいのか』
『なぜあの人はすぐやるのか』
『なぜあの人は逆境に強いのか』
『なぜあの人の話に納得してしまうのか［新版］』
『なぜあの人は勉強が続くのか』
『なぜあの人は仕事ができるのか』
『25歳までにしなければならない59のこと』
『なぜあの人は整理がうまいのか』
『なぜあの人はいつもやる気があるのか』
『なぜあのリーダーに人はついていくのか』
『大人のマナー』
『プラス1％の企画力』
『なぜあの人は人前で話すのがうまいのか』
『あなたが「あなた」を超えるとき』
『中谷彰宏金言集』
『こんな上司に叱られたい。』
『フォローの達人』
『「キレない力」を作る50の方法』
『女性に尊敬されるリーダーが、成功する。』
『30代で出会わなければならない50人』
『20代で出会わなければならない50人』
『就活時代しなければならない50のこと』
『あせらず、止まらず、退かず。』
『お客様を育てるサービス』
『あの人の下なら、「やる気」が出る。』
『なくてはならない人になる』
『人のために何ができるか』
『キャパのある人が、成功する。』
『時間をプレゼントする人が、成功する。』
『明日がワクワクする50の方法』
『ターニングポイントに立つ君に』
『空気を読める人が、成功する。』
『整理力を高める50の方法』
『迷いを断ち切る50の方法』
『なぜあの人は10歳若く見えるのか』
『初対面で好かれる60の話し方』
『成功体質になる50の方法』
『運が開ける接客術』
『運のいい人に好かれる50の方法』
『本番力を高める57の方法』
『運が開ける勉強法』
『バランス力のある人が、成功する。』
『ラスト3分に強くなる50の方法』
『逆転力を高める50の方法』
『最初の3年その他大勢から抜け出す50の方法』
『ドタン場に強くなる50の方法』
『アイデアが止まらなくなる50の方法』
『思い出した夢は、実現する。』
『メンタル力で逆転する50の方法』
『自分力を高めるヒント』
『なぜあの人はストレスに強いのか』
『面白くなければカッコよくない』
『たった一言で生まれ変わる』
『スピード自己実現』
『スピード開運術』
『スピード問題解決』
『スピード危機管理』
『一流の勉強術』
『スピード意識改革』
『お客様のファンになろう』
『20代自分らしく生きる45の方法』
『なぜあの人は問題解決がうまいのか』
『しびれるサービス』
『大人のスピード説得術』
『お客様に学ぶサービス勉強法』
『スピード人脈術』
『スピードサービス』
『スピード成功の方程式』
『スピードリーダーシップ』
『出会いにひとつのムダもない』
『なぜあの人は気がきくのか』
『お客様にしなければならない50のこと』
『大人になる前にしなければならない50のこと』
『なぜあの人はお客さんに好かれるのか』
『会社で教えてくれない50のこと』
『なぜあの人は時間を創り出せるのか』
『なぜあの人は運が強いのか』
『20代でしなければならない50のこと』
『なぜあの人はプレッシャーに強いのか』
『大学時代しなければならない50のこと』
『あなたに起こることはすべて正しい』

【きずな出版】
『チャンスをつかめる人のビジネスマナー』
『生きる誘惑』
『しがみつかない大人になる63の方法』
『「理不尽」が多い人ほど、強くなる。』
『グズグズしない人の61の習慣』
『イライラしない人の63の習慣』
『悩まない人の63の習慣』
『いい女は「涙を背に流し、微笑みを抱く男」とつきあう。』
『ファーストクラスに乗る人の自己投資』
『いい女は「紳士」とつきあう。』

著者略歴

中谷 彰宏（なかたに あきひろ）

1959年、大阪府生まれ。早稲田大学第一文学部演劇科卒業。博報堂勤務を経て、独立。91年、株式会社中谷彰宏事務所を設立。【中谷塾】を主宰。セミナー、ワークショップ、オンライン講座を行う。著作は、1,100冊を超す。

※本の感想など、どんなことでもお手紙を楽しみにしています。
他の人に読まれることはありません。**僕は本気で読みます。**

中谷彰宏

〒460-0008　名古屋市中区栄3-7-9 新鏡栄ビル8F　株式会社リベラル社　編集部気付
中谷彰宏　行

※食品、現金、切手等の同封はご遠慮ください（リベラル社）

[中谷彰宏　公式サイト] http://www.an-web.com/

[Instagram] https://www.instagram.com/nakatani_akihiro.official/

中谷彰宏は、盲導犬育成事業に賛同し、この本の印税の一部を（公財）日本盲導犬協会に寄付しています。

装丁イラスト　田中寛崇
装丁デザイン　大場君人
本文デザイン・DTP　尾本卓弥（リベラル社）
編集人　伊藤光恵（リベラル社）
営業　津村卓（リベラル社）
制作・営業コーディネーター　仲野進（リベラル社）

編集部　鈴木ひろみ・榊原和雄・中村彩・安永敏史
営業部　澤順二・津田滋春・廣田修・青木ちはる・竹本健志・持丸孝・坂本鈴佳

たった一言で人間関係が劇的に変わる
好かれる人の言いかえ

2023年1月26日　初版発行

著　者　中 谷 彰 宏
発行者　隅 田 直 樹
発行所　株式会社　リベラル社
〒460-0008 名古屋市中区栄 3-7-9 新鏡栄ビル8F
TEL 052-261-9101　FAX 052-261-9134
http://liberalsya.com
発　売　株式会社　星雲社（共同出版社・流通責任出版社）
〒112-0005 東京都文京区水道 1-3-30
TEL 03-3868-3275
印刷・製本所　株式会社 シナノパブリッシングプレス

ISBN978-4-434-31554-1　C0030